"Steve Jobs" Translator's Workspace

「スティーブ・ジョブズ」翻訳者の仕事部屋

フリーランスが
訳し、働き、食うための
実務的アイデア

井口耕二
Koji Inokuchi

講談社

プロローグ

　2011年10月5日（日本時間10月6日）、スティーブ・ジョブズが亡くなりました。その日夜のトップニュースもスティーブ・ジョブズ死去でしたし、翌日夜のトップニュースもそうでした。一企業の経営者という立場でこれほどの扱いを受けるのはさすがとしか言いようがありません。

　私は、スティーブ・ジョブズ関連の書籍を何冊も訳してきていた関係から、日経ビジネスオンラインのジョブズ追悼企画に追悼文を寄稿することになりました。

　　早い。早すぎる。スティーブ・ジョブズが逝ってしまった。

　　「ジョブズの死で悲しいのは、彼がこれまでやってきたことではなく、これからやるかもしれなかったことが実現しなくなったことである。ジョブズが夢見ていた未来を見てみたかったな」

　　ツイッターでこう、つぶやいた方がおられる。

　　同感だ。1955年2月24日生まれの56歳。年齢だけから言えば、もうあと10年や15年は現役でいられたはずだ。彼の性格からして、悠々自適の生活に入るなど考えられない。元気である限り、全力で突っ走り、我々は想像もできていないから欲しいと思っていないが、見せられたら欲しくてたまらなくなるような何かをいくつも生みだしてくれただろう。

　　ここまで生みだしてきたモノも、そういうものばかりだ。

　　アップルの基礎を作ったアップルⅠにアップルⅡ、GUIを世界に広めたマッキントッシュ、そして、アップル復帰後のiMac、iPod、iTunes、iPhone、iPad、さらにはピクサーのアニメーションなど、

そのどれがなくても、人生が少しおもしろくなくなったり、仕事がやりにくくなったり、ほとんどの人がなにがしかの影響を受けるはずだ。

このあともきっと何かをしてくれたはず。そう思うのは当然だし、ここで打ち止めになると考えるのはあまりに分の悪い賭けだったはずだ。少なくとも一部は今後何年かでアップルから出てくるのだろうが、それこそ、まだアイデアにもなっていないもの、これから思いつくはずだったものは見られなくなってしまった。残念だ。

私は書籍の翻訳という仕事を通じて、ここ数年、スティーブ・ジョブズという人物をさまざまな角度から見てきた。

2005年に発行された非公認の評伝、『スティーブ・ジョブズ―偶像復活』（東洋経済新報社）のほか、『スティーブ・ジョブズ　驚異のプレゼン―人々を惹きつける18の法則』、『スティーブ・ジョブズ　驚異のイノベーション―人生・仕事・世界を変える7つの法則』（ともに日経BP社）とジョブズ関連の翻訳を担当してきたし、まったく性格が違うもうひとりのスティーブ、『アップルを創った怪物―もうひとりの創業者、ウォズニアック自伝』（ダイヤモンド社）も翻訳を担当させていただいた。

ジョブズはさまざまな側面を持つ人物だ。そのさまざまな側面は、書籍やさまざまな記事、そして、有名な基調講演の数々、そしてスタンフォード大学卒業式の祝辞などに現れている。

基本は、よくも悪くも「激しい人」だ。

激しさが悪いほうに出れば、そこまでしなくてもというくらい厳しく部下を叱るといったことになってしまう。そういうエピソードがあまりに多く、『偶像復活』など、著者が悪意を持っているのではないかとの書評を書かれる方もおられたほどだ（著者の姿勢は、「問題も多いけど、すごいよこの人」という感嘆が基本にあると訳しながら感じた）。

でも、その激しさがいいほうに出れば、ほどほどで満足せず、まして、妥協などで満足せず、とことん突きつめてすごい製品を生みだす

ことになる。本人も突きすすめば、激しい叱責などを通じて、部下にも突きすすませる。もうダメだと足を止めそうになったとき、「もう一歩だ！」「もう一歩だ！」と横から激励して進ませるコーチのように。

　激しいがゆえに、対象とするものも「自分が好きなモノ」となる。好きでもないものを仕事だからとやれる性格ではなく、激しく却下してしまうからだ。そして、『驚異のイノベーション』にくりかえし出てくるように、好きなモノ、情熱を注げる何かに邁進するからこそ、世の中の人たちを驚かせるような仕事ができるのだ。

　また、若いころカウンターカルチャーに染まり、禅に傾倒したこともさまざまな影響を及ぼしているはずだ。

　世の中の常識（「コンピューターはオープンなシステムのほうがいい」）にとらわれず、自分が望む道（「すべてをコントロールするクローズドなシステムにしたい」）に邁進する。世の中でわりと多い価値観（「お金が大事」）にとらわれず、自分の価値観で突きすすむ（「お金のために仕事をしてるんじゃない。すごい製品、宇宙に衝撃を与えるような製品を作るために仕事をしてるんだ」）。反体制的なカウンターカルチャーのしっぽを引きずってビッグになったというところだろうか。

　最近は、「テクノロジーとリベラルアーツの交差点に立つことが大事」とも言っていた（『驚異のイノベーション』）。このあたりも、カウンターカルチャーに染まっていたことが背景にあるのだと思う。

　そのときどきで好きなこと、情熱が持てることに邁進した結果、さまざまな点が生まれ、その点をつないで、ほかの人たちには思いもよらないモノを生みだしてきたわけだ。

　若いころは「激しさ」ばかりが前面に出ていた感じだが、年をとって激しさ以外の面も見えるようになったと思う。特にスタンフォード大学で祝辞を述べた前後からはっきり見えるようになった。

　ジョブズはアップルの新製品発表イベント以外でスピーチをするこ

となどめったにないし、プライベートな面はすさまじいばかりに秘密を守る。その彼が、大学の卒業式で祝辞を述べることも驚きなら、それがまた、あのようにパーソナルな内容であることも驚きだった。がん闘病を通じて、いろいろと思うことがあったのだろう。

とは言っても、丸くなったわけではない。出てくる製品を見れば、その後も仕事については相変わらず激しくとんがっているのだろうと思われる。「丸くなって妥協する」など、ジョブズの辞書にはないのだろう。

ともかく、ジョブズの死とともに、60年代のカウンターカルチャーから発展してきたひとつの時代が終わった、少なくとも、産業界では終わったのだろうと思う。

残された我々は、どうすればいいのか。自分が情熱を持てるモノへとがむしゃらに突きすすんでいい仕事をする、だろう。そう、"Stay hungry. Stay foolish"、「ハングリーであれ。分別くさくなるな」を実践してゆくのだ。

私自身は、10月末に発売される予定の公認伝記、『スティーブ・ジョブズ』上下巻を少しでもいい形で読者の方々にお届けする——当面はそこに突きすすもうと思う。それが、私が彼に対してできる一番の供養だろう。

そうなんです、この年は、『スティーブ・ジョブズⅠ、Ⅱ』（講談社、以下は原則として『スティーブ・ジョブズ』）の翻訳も担当していました。初の公認伝記であり、世界同時発売という話です。ふつうの3倍くらいというすさまじいペースで訳していかなければまにあいません。3ヵ月以上、週末の休みもなしで走り続ける。短距離走のペースでマラソンを走りきるような感じです。「やってみたら思った以上に時間がかかりました。1ヵ月くらい遅れそうです」なんて口が裂けても言えません。

失敗は許されない——そのプレッシャーのなか体力を限界までふり絞り、なんとか訳出を終えて、『スティーブ・ジョブズ』下巻分の訳稿を

渡すため、都内の某喫茶店で講談社の編集さんと会うところまでこぎ着けました。

　時は日本時間10月5日水曜日の夜、スティーブ・ジョブズが亡くなる前日の夜です。

　心配は山ほどあったが、なんとか3ヵ月、ベストと言える進行で訳し終えることができた。ゲラ修正などやることはたくさん残っている。それでも一番大変なところは終わり、ここからはほんの少しだけど楽になるはずだ。ここまで来た。来れた。倒れずに来ることができた。

　そう思いながら編集さんと話をしていました。

「井口さん、気を落ち着けて聞いてくださいね？」

「はい、なんでしょう」

「実は、スティーブ・ジョブズが危ないらしく、家族が集められているそうです」

「そうですか……」

（そらまぁショックっちゃショックだけど、もともと、そろそろ危ないからこの伝記を急いで出すって話になったわけで、ついにそのときが来たか、以上の驚きはないんだけど……？）

「その状況をうけ、米国側から刊行日の前倒しという話が来ました」

「え……!?　ええぇ!!!」

「11月21日を3週間前倒して11月1日にする、と」

「………」

（いやいやいやいや、ありえないでしょう？　ここから1ヵ月半で編集・校正・修正・ゲラ、印刷・製本・配本だって超過密スケジュールの突貫工事なのに。その時間を半分近く削るって、それ、がんばればどうにかなるってレベルじゃないじゃん。不可能ってレベルの話じゃん）

「……刊行日は契約で縛ってあるってお話でしたよね？」

（「なに言ってんですか。無理に決まってるじゃないですか」……非難の言葉は口を開いただけでなんとか押しとどめた。無理な話なのは編集さんが一番よくわかっているんだから）

「契約というものは、これはこうしましょう、それができない場合はこうしましょうと取り決めるもので、相手に行動を強制できるものではありませんから」

「……それは……そうでしょうね。契約……なわけですから」

「しかも、世界同時発売になっている国、日本以外ぜんぶの了解を取った上で話を持ってこられてしまいまして」

（もう印刷・製本が始まってる米国は当然に大丈夫だし、言語的にわりと近くて翻訳・編集の手間が少なめな欧州各国もなんとかなるんだろう。どうにもならんのは日本だけ、か。そして、日本は大反対するっていうのも重々承知しているから、外堀埋めて話を持ってきたってことよね。こら、講談社さんも打つ手ないわ）

「……やるしかないってことですね」

「……はい」

編集さんが頭を下げる。

「というわけで、ここからの工程表を作りました。このスケジュールでお願いできますか？」

（……いくらなんでも無理なスケジュールだなぁ。必死で進めてもできるかどうかやってみないとわからない、やる、やれますと約束なんてとてもできないスケジュールじゃん。もう少し時間をくれとお願い……はできないんだよな。ほかの作業も、ぜんぶ、こんなん無理ってスケジュールになってるはずで）

「……なんとかしましょう」

「追加のゲラ、明日、バイク便でお届けします」

「お待ちしています」

このように、スティーブ・ジョブズが亡くなったころ、私は、ベストセラーとなる『スティーブ・ジョブズ』の世界同時発売に向け、胸突き八丁を迎えていました。本書では、『スティーブ・ジョブズ』翻訳の顛末を中心に、出版翻訳者はどういう仕事をしているのか、どのような工

夫をしているのか、また、日々、どのような勉強をしているのかなどを紹介したいと思います。また、関連して、子育てのために会社員を辞めてフリーランスになった私の仕事術や、暮らしの工夫なども記しています。『スティーブ・ジョブズ』翻訳の舞台裏に置かれた『スティーブ・ジョブズ』翻訳者の仕事部屋を見ていただこうというわけです。

「スティーブ・ジョブズ」翻訳者の仕事部屋
目次

第2章
出版翻訳者の勉強部屋

第3章

出版翻訳者の「塞翁が馬」人生

第1章

『スティーブ・ジョブズ』
翻訳の舞台裏

『スティーブ・ジョブズ』プロジェクト

絶対に訳したい「初めての公認伝記」

　始まりは2011年3月、ネットニュースでした。スティーブ・ジョブズが初めて公認した伝記『iSteve: The Book of Jobs』（サイモン・アンド・シュスター社、以下『iSteve』）が2012年3月に出ると報じられたのです。「やった。ついにか」――そう思いました。実はこの3年近くも前から、ネット友だちのところで、自伝が出たら翻訳を担当したいなと話したりしていたからです。

　ジョブズは若いころからマスコミに持ち上げられていて、その際、意に反した取りあげられ方もずいぶんと経験しています。そのため、自分の条件が受けいれられるインタビューや取材にしか応じません。だからでしょう、伝記がすごくたくさん出ているのに、すべて、非公認となっています。書くのは止められないけど、オレは認めないよ――そういうことなのだと思います。認めないだけならまだしも、近しい人々にも取材に応じるなと厳命していたそうです。だから、ぜひとも書きたいネタであっても、書いてしまえばだれが語ったかわかるものは書くわけにいかず、すごく残念な思いをしたと非公認伝記の著者が語っていたりします。たとえば『偶像復活』で、著者のジェフリー・S・ヤングとビル・サイモンは、次のように嘆いています。

　　　スティーブにも本書への協力を要請したが、断られた。また、友人や
　　　部下、従業員が刊行を前提に話をすることに対し、スティーブ・ジョ
　　　ブズが激しい反対を示すため、匿名を条件としておこなわれたインタ
　　　ビューが多く、その結果、そのかなりの部分は背景情報としてしか使
　　　えずに終わってしまった。編集室の床に、すばらしい情報が山のよう
　　　に捨てられたのだ。

　でも、自伝なり公認伝記なりなら、そういうネタも入っているはずです。ですから、そんな本が出たらぜひにも担当したい──そう思ったわけです。

　そもそも、私がいわゆる「出版翻訳」の世界で仕事をするようになったきっかけが、そういう非公認伝記の1冊、『偶像復活』でした。その後、ジョブズとともにアップルを立ち上げた「もうひとりのスティーブ」、スティーブ・ウォズニアックの自伝、『アップルを創った怪物』のほか、『驚異のプレゼン』も翻訳しています。さらに、このニュースが駆け巡ったころには、『驚異のプレゼン』に続く『驚異のイノベーション』が刊行に向けた最終段階に入っていました。
　そんなわけで、いろんな意味ですごい人だよなと強く興味を惹かれていたわけです。翻訳者としても、読者としても。
　しかも、『iSteve』は、ヘンリー・キッシンジャー、ベンジャミン・フランクリン、アルバート・アインシュタインと話題の伝記を書いてきた大物伝記作家ウォルター・アイザックソンが書くという話です。さらに、2009年から2年間、ジョブズに密着取材したといいます。表に出す情報をコントロールするジョブズが密着取材を許すとは──驚きです。当然、周囲の人々への取材もじっくりしているはずで、前述の「書きたいのに書けなかったネタ」なども今回は書かれるはず、だれも知らないジョブズの素顔が描き出されるはずです。
　そんなことを考えていた4月18日、よく一緒に仕事をしている日経BPの編集さんから「版権取れなかった。井口さんの訳で読みたい。そのあたり、ちゃんとわかっている出版社が版権を取ってくれたのならいいのだけれど」というメールが入りました。そうか〜、日経BPさんはダメだったかぁ〜。日経BPさんならいつものパターンで仕事が進められたんだけどな。
　『iSteve』は著者のウォルター・アイザックソンも大物なら、その著者

についているエージェントも米国屈指のやり手です。そして、米国の場合、著者やエージェントの評価はお金で示すものです。だから、『iSteve』は「高い」のです。もちろん、日経BPさんもそのあたりわかっているから、思い切った額を出したというのですが、「桁が違う」と一蹴されたそうです。

　それにしてもどこが版権を取ったのだろう。ジョブズ関連の翻訳なら私を真っ先に考えるという出版社じゃないんだろうな。だったら、すぐ連絡が入るはずだもん。であれば取りにいこう。全力で。

　可能性はあると思いました。まず、前述のように、関連本の実績があります。特に『驚異のプレゼン』はこの時点で20万部近いベストセラーになっていました。言い換えれば、私の訳で初めてスティーブ・ジョブズの口調などに接した人がとても多いということです。まあ、正直な話、翻訳が下手でも原著がよければ売れたりするので、ベストセラーがあるというだけではアピールしづらいのですが、ネットなどでみても、幸いなことに、私の訳はわりあいに評判がよいようでした。私が訳した本は買うと言ってくださる方もいましたし、ジョブズの自伝が出たらぜひ私に訳してもらいたいとネットで書いてくださった方もいました。

　というわけで、まずは、『iSteve』の紹介という体裁を取りつつ、版権を取った出版社さんにアピールするブログ記事を書きました。『iSteve』の版権を獲得した出版社の編集さんが読んでくださるかどうかはわかりませんが、とにかく、打てる手はすべて打とうと思ったのです。ブログは翻訳そのものについて語るもので、2005年から書いてきた結果、プロ翻訳者にはそれなりに知られている存在になっていましたから、読んでもらえる可能性がそれなりにはあるはずです。

翻訳書出版は巨額オークションから

　翻訳書を出すには、まず、翻訳の版権を取らなければなりません。日本語に訳して出版する権利を買うのです。具体的には、「いつ出すのか、どういう形態で出すのか（紙の本が基本ですが、電子書籍やオーデ

ィオブックなどはどうするのか、また、マンガなどにも展開するのか)、著者にいくら払うのか」などを交渉し、取り決めることになります。

　この交渉をする相手は、欧米の場合、基本的にエージェントと呼ばれるところになります。エージェントというのは、作家さんと契約し、二人三脚で仕事をする人です。著作権を管理する、どういうメディアにどのくらい出るかを調整するなど、その仕事は多岐にわたりますが、なんといっても大きいのは、作品を売ること、できれば高く売ることです。そして、『iSteve』の著者ウォルター・アイザックソンのような大物作家には、大物エージェントがついています。だからどうしても高くなります。

　そんなわけで、話題作・人気作は、オークション形式になったりします。翻訳したいという出版社を競わせたほうがいい条件を引き出しやすくなりますからね。『iSteve』もオークションでした。

　版権交渉を左右するのは、やはり、お金です。原著者が欧米なら、一般的に、印税とアドバンスを取り決めます。印税というのは、本の売り上げに対して何パーセントを支払うという取り決めで、日本でもよくある形です。『iSteve』の契約そのものについては守秘義務があって明かせませんので一般的な話になりますが、原著者の印税率は6〜9%が多いと言われています。部数に応じてスライドしたり、いろいろと細かく取り決めることもあるようです。アドバンスは、印税の前払いだと思えばいいでしょう。印税だけだと、本が売れなかったときすごく少額になってしまうおそれがあります。それを避けるため、最低限いくらは払います、それも、先払いしますというのがアドバンスです。本がたくさん売れて印税がアドバンスを超えれば、超えた分があとから支払われるわけです。

　オークションのポイントは、このアドバンスになります。印税率は著者の格でだいたい決まるので各社ほぼ横並びになってしまい、差が付きませんから。

　またこの翻訳版権、どこが取ったのかは、基本的にわかりません。ウ

プが取ったとはどこも言いませんし、取ったのはおたくですかと他社に尋ねるのも基本的にナシです。話題の本だと編集さんのあいだであそこだここだとうわさになったりするらしいのですが、我々翻訳者だと、そういううわささえ耳に入ってきません。翻訳を担当してもらえませんかと打診を受けるか、日本語版の刊行が発表されるかまでわからないのです。つまり、「取りにいこう。全力で」などと意気込んでも、ふつうは口を開けて待つことしかできません。読んでもらえるかどうかもわからないブログ記事でアピールするくらいが関の山なのです。とはいえ、書かなければなにも始まりません。読んでもらえる可能性にかけてアピールはするべきですし、ついでに言えば、できればふだんからブログなりSNSなりで発信し、読んでもらえる可能性を高めてもおくべきです。

「鹿の角」で熱意をアピール

どこが版権を獲得したのか、どうにかして知ることはできないだろうか。いろいろと考えた結果、情報通の編集さんにメールで尋ねることにしました。なんどか少人数で飲んだことのある方で、版権獲得などの業界情報をなぜかよく知っている人だなぁといつも思っていたからです。

すぐに返事をいただきました。「この件、うわさには聞いている。順当ならソフトバンクだろう。オークション自体がオープンではなかったくらいで難しいかもしれないが、情報を集めてみる」とのこと。やはり、なかなかに難しいようです。

2011年当時、iPhoneはソフトバンクのみが取り扱っていました。この編集さんは、そのつながりからソフトバンククリエイティブが順当と考えておられたようです。たしかに。その可能性に思いいたらないのはあほだったなと思いました。

1週間後の4月25日、この編集さんから、日本語版の版権を獲得したのは講談社だったと回答が返ってきました。講談社さんのノンフィクション部門とは仕事をしたことがありません。ということは、待っているだけで私のところに依頼が来る可能性は低いと思われます。出版社にと

って初めての仕事相手はリスクがあるので、大事なプロジェクトであれ
ばあるほど「いつもの人」に頼むのがふつうですから。

　幸い、講談社さんの関係では、この1年ほど前、翻訳者仲間の紹介で
ブルーバックスの仕事をしています（『マンガ統計学入門――学びたい
人のための最短コース』講談社ブルーバックス）。このとき担当してく
れた編集さんに、ノンフィクション部門の人にわたりをつけてくれとお
願いしました。

　その編集さんがすぐに動いてくれて、その日のうちに返事が来まし
た。「候補者にリストアップされていた。思い切り推薦しておいた」と
のこと。ありがたい限りです。

『iSteve』を担当する編集さんからの連絡もすぐに来ました。ゴールデ
ンウイークの直前、4月27日のことです。だれに頼むかまだ決めていな
いのだが、『iSteve』にかぎらず翻訳全般について話がしたいという内容
でした。

「だれに頼むかまだ決めていない」というのは、「いつもの人」との天
秤ということなのでしょう。それでも、候補者として考えてもらえてい
るというのは心強いかぎりです。とにかく押しの一手です。

ご連絡、ありがとうございます。

ブログを読まれているとのことでご存じだとは思いますが、スティーブ・ジョ
ブズについては、非公認の伝記のほか、関連書籍の翻訳を何冊か担当した
関係で強い興味を持つようになり、2～3年前から、彼の自伝が出たら翻訳を
担当したいと思っていました。

そして先日、初の公認伝記、『iSteve』が出ると聞いたもので、なんとか、
候補の一人に加えていただきたいと思い、知り合いの編集者に頼んで版権の
行方を調べてもらったわけです。その結果、講談社さんらしいとのことでし

たので、昨年、ご縁があって一緒に仕事をさせていただいた××さんに様子をお伺いすることにした次第です。

この本は御社としてもかなり力を入れられるはずの案件であり、慎重に考えられるのが当然だと思います。そのような案件で、私を候補の一人としてご検討いただいているとのこと、ありがとうございます。

もちろん、『iSteve』を担当させていただければ、おそらくは当面、それ以上にうれしいことはありませんが、それはそれとして、いろいろとお話できればと私も思います。

井口　耕二
技術・実務翻訳
テクニカルライティング

　そして、連休明けの5月11日、講談社でノンフィクションを担当しておられる、編集者おふたりに会うことになりました。
　さて、どうアピールすればいいのか。講談社にとって、私を選んだらこんな得がありますよと言えるものがいい。やはり実績でしょう。前述のように関連本を何冊も訳してきましたし、その中にはベストセラーもある。私の訳が一番よく読まれているのはまちがいありません。
　強く印象づけようと、おみやげにも頭を絞りました。定番はお茶菓子ですが、好みもわからず適当に選んでもごくふつうのおみやげにしかならず、印象に残るはずがありません。であればいっそと、鹿の角という奇策に走ることにしました。実は、毎年、家族で山の中を歩き回り、生え替わりで落ちた鹿の角を拾っていたのです。というわけで、小ぶりで色や形のいいものを1本選んで持っていくことにしました。

翻訳者候補に名乗りを上げる

「なんですか、それ？」

　東京・護国寺にある講談社に鹿の角を持っていくと、担当編集者さんはあっけにとられていました。そのあとも社内で話題になったと聞いていますから、私の狙いは成功したと言えるでしょう。

　しかし5月11日当日、そんなことを考える余裕はありません。面談は、すぐ本題に入りました。

「だれに翻訳を依頼するのか、候補者をロングリストからふたりのショートリストまで絞りました」

　のっけからこれです。初めてというリスクはあるけれど関連本の実績が豊富な私に頼むか、「いつもの人」に頼むかという話なのでしょう。言い換えれば、こいつと仕事するのは危ないと思われたらおしまいということです。

　続けて「ふつうならこんな条件は示さないのですが、この件は例外で、印税率は××しか出せません。この印税率で仕事はできないということであれば、この話はなかったことにしてください。なにせ、著者というかそのエージェントというかが強くて」

　前述のように、米国の場合、版権交渉などは著者本人ではなく、エージェントがおこないます。『スティーブ・ジョブズ』は著者のウォルター・アイザックソンも大物なら、エージェントは米国一の敏腕と言われている人です。かなり厳しい条件になっているのでしょう。

「こういう話があったらやりたいと前から思っていたことなので、印税率は出せるだけでかまいません。やりたいんです」

　即答しました。はなから交渉にならない全面降伏という感じですが、本音でもあるし、「いつもの人」に対抗するためやる気を示すべきだろうとも思いましたし。

　面談ではいろいろな話をしました。講談社さんも私も、まずは相手を知らないといけませんから。そして……

「スケジュールなんですが……」

「来年3月に刊行という話ですよね?」

「いや、それが、クリスマス商戦にまにあわせたいのだそうで……」

「……となると、遅くとも11月末には刊行、でしょうか」

「はい、11月21日だそうです」

「後工程を考えると、9月いっぱいには訳しあげないといけませんね」

「そうなります」

「量は?」

「15万ワードの予定です。届くのは6月半ばです」

「………」

「できますか? できるとおっしゃるなら、いま、決めます」

「………」

　できると即答したい。でも、やってみたらダメでした、まにあいませんでしたは許されない。必死で暗算をする。通常の2冊分、ふつうにやって7ヵ月のものを3ヵ月半、要するに倍速でできるか、だ。スティーブ・ジョブズやアップルに関する本はいままで何冊もやっていて手慣れている。であれば、平均して1日にできる最大量の2500ワードくらいはいけるだろう。作業日が月20日(週休二日)で5万ワード／月、つまり3ヵ月で15万ワードを訳せることになる。著者の文体に慣れるまでスピードが上がらないことが多いがそのくらいのマージンはありそうだ。原稿が多少増えても、休みなしの月30日なら7.5万ワード／月とこの1.5倍くらいまではぎりぎりなんとかなる可能性がある。短距離走のペースでマラソンを走りきろうというむちゃな話で、終わったらボロボロだろう。でもそれを覚悟すればできないことはない……はずだ。

「できます。やります」

「じゃあ、お願いします」

　やった! 決まった!

5月：ミッションは「世界同時発売」

ありえないスケジュール

本を作るのは意外に大変です。翻訳書なら、翻訳して日本に紹介したいと思う原著を探すところに始まり、翻訳版権の交渉・取得、翻訳者の選定・交渉、翻訳作業、ブックデザイン、編集・校正、編集や校正の指摘をどこまでどう使うか翻訳者との相談（本のイメージで印刷されたゲラというものに鉛筆や赤ペンを入れる）、印刷・製本・配本とたくさんの工程があります。私は翻訳者なので、担当するのは翻訳作業とゲラ校正になります。

本1冊は、私が訳すビジネス系ノンフィクションで8万ワード前後がふつうです。訳すスピードは内容にもよりますし翻訳者にもよりますが、一般に、丸一日で1500ワードくらいがいいところです。週五日、フルに働いても3ヵ月はかかります。

『スティーブ・ジョブズ』は最終的に22万ワードになりました。ふつうに考えて、とりあえず訳すだけで9ヵ月、最終調整に1ヵ月の合計10ヵ月は欲しいところ。でも、世界同時発売とするため、3ヵ月で訳し上げることになりました。壮絶でした。よくぞ体力がもったものだと、いまふり返っても思います。

さて、スタート前に時間を戻します。編集さんとの面談で11月21日刊行なら9月末には訳しあげないといけないとしたのには理由があります。翻訳書が刊行されるまでの流れをざっと紹介しましょう。

届いた原稿は翻訳者が訳します。これもさらっと訳したら終わりではありません。訳している途中も前や後ろを参照しますし、その結果、すでに訳したところを直したりもします。さらに、一通り訳したあと、プリントアウトして読みなおし、赤ペンで修正を入れてそれを原稿ファイ

ルに反映しますし、本全体で表現や表記を調整したりもします。そうやって、「まあ、このまま本にしてもいいんじゃないかな」と翻訳者の段階で思うレベルまで仕上げるわけです。これを完成原稿といいます。

　この完成原稿、ふつうは、刊行日の2ヵ月半から3ヵ月くらい前には出版社に提出します。

　このあと、担当編集さんや校正さんのチェックが入ります。ほかの編集さんも読んでその意見がまわってくることもあります。

　具体的な作業はいわゆるゲラ。組版されて本のイメージになった原稿です。このころだと、本の見開き2ページが1枚に印刷された紙の束が届いていました（最近はPDFが増えている）。

　ゲラには、編集さんからの提案（ここはこうしたほうがいいのでは？とか）や疑問点（ここ、よくわからないのですが……とか）が鉛筆書きされています。誤字・脱字、てにをはのチェック、事実関係の調査結果、内容の矛盾など、校正・校閲の指摘も書き込まれています。それを参考にしながら、最終的にどうするのかを翻訳者が判断し、ここはこう修正すると赤ペンで書き入れていくのです。ふつうは、初校ゲラ、再校ゲラの2往復。赤ペンが入った状態は読みにくいので、初校ゲラの赤ペンを反映した再校ゲラで微調整をして仕上げる——私はそんなイメージでいつも仕事をしています。再校ゲラを返したら翻訳者の仕事は基本的におしまいで、そのあとは編集さんのほうで最終確認をして校了し、印刷所に送ることになります。さらに1ヵ月くらいで印刷・製本・配本が終われば、書籍が店頭に並ぶわけです。

　この後工程、今回は分厚いので3ヵ月はかかると見るべきでしょう。2冊分で編集工程の期間も倍必要だと考えるならミニマム4ヵ月という計算になります。翻訳者も必死でやるんだから後工程も必死でとお願いしても2.5ヵ月に短縮するのが限界でしょう。つまり、11月21日に出すのであれば、どんなに遅くても9月の頭には完成原稿をあげなければならないことになります。

　その場合、翻訳期間は6月半ばから2.5ヵ月になってしまいます。これ

はいくらなんでも無理がありすぎです。でも、逆に、翻訳に時間を使えば、後工程の時間が足りなくなります。ふつうのやり方では不可能なスケジュールなのです。

苦肉の策の分割納品

　対策は、翻訳工程と編集工程を重ねること。『スティーブ・ジョブズ』では、9月に入るところで上巻の訳稿を講談社さんにお渡しすることにしました。そこからあと、私が下巻の残りを進めているあいだに（上巻分を渡した時点で翻訳作業は下巻の途中まで進んでいます）、講談社さん側では上巻の編集作業やらブックデザインやら組版やらを進めるわけです。時間に追われる産業翻訳でおこなわれる分納と同じ考え方です。

　分割して原稿を納めることにもデメリットがあります。

　ふつうは、一通り訳したあとに全体を通して調整というのをどこかでやります。私の場合、出版社さんに送る前に原稿を2回読んで直すのですが、いつも、その1回目の読み直しと2回目の読み直しのあいだでやります。1回目の読み直しではそれなりにあちこち修正するので、その前に調整してもまた狂いが生じるからです。分割納品では、それをやらずに（やれずに）出版社さんに出してしまうことになります。当然、後ろのほうを訳しているあいだに前のほうで直したいところとか、全体を通して読み直したとき直したいところとかが出てきます。でも、原稿は出しちゃったあと。ゲラで直すしかありません。

　こういうやり方のときは、直しに気づくたび、メモを残します。残すのですが……人間がやることにはミスがつきものです。うっかりメモを書き忘れるかもしれません。こんなややこしい工程にしなければ、ミスらないミスが混入するおそれは否定できません。

　最大のデメリットは「疲れる」でしょう。ややこしいやり方になる分、修正作業にかかる時間はむしろ長くなります（それでも、本の制作工程全体で見れば所要期間が短くなる）。また、いろいろと気をつける

点が増えれば増えるほど頭が疲れます。そういう労力で短縮分の期間を買っていると言えるわけですが。

　ほかにも、細かいことを言いだせばいろいろなデメリットがあり、下手なやり方はできません。というわけで、講談社さんともご相談し、上巻分・下巻分の2分割にしてもらいました。また上巻分を納めるタイミングも、訳出期間の3分の2がすぎた9月に入るあたりにしてもらいました。上巻分の一次訳は8月半ばにできるはずですが、一次訳を完成訳にする作業を下巻の訳出と並行して進めることを考えると、このくらいが限界だと思ったのです。

　編集さんとの面談時、なんだかんだこのくらいはできるはずだし、このくらいが限界のはずという暗算をした結果が、「後工程を考えると、9月いっぱいには訳しあげないといけませんね」という私の言葉であり、編集さんも同じように考えていたから「そうなります」と返してきたわけです。

　というわけで、当初の予定は次のようになっていました。6月半ばに到着した原稿（15万ワード）を訳し、私の段階で手直しをして、いわゆる完成原稿を9月末に提出する、です。

下訳者を使うのは「あり」なのか？

　15万ワードを3.5ヵ月で訳しあげるというのも、むちゃなスケジュールです。翻訳の期間を短くしたい場合、考えられる方法が一般に三つあります。

　1.　下訳者をたくさんつける
　2.　共訳にして分担する
　3.　ほかのことを投げ捨てて必死でがんばる

　1の「下訳者」というのは、翻訳業界を知らない人には少し説明が必要かもしれません。これは、下訳者と呼ばれる人が何人がかりかでいっ

たん訳し、その訳文を「上訳者」と呼ばれる人（本の表紙に名前が載る人）が直して最終的な訳文に仕上げるパターンです。翻訳という工程の前半をある程度の人数でやって時間を短縮すれば、全体に必要な時間も短くなるというわけです。

　ただ、これはうまくいくケースといかないケースがあります。

　まず大きいのは、上訳者のタイプです。英文和訳的にざっと訳してから日本語をブラッシュアップして最終訳に仕上げていくタイプなら、最初の「ざっと訳す」をほかの人にやってもらえば時間短縮になるかもしれません。対して私のように、英語を読んでイメージをつかみ、そのイメージになる訳文を一気にひねり出すタイプは、むしろスピードダウンするおそれさえあります。ざっと訳した日本語ではイメージがつかめず、英語に戻ってイメージをつかんで訳し直すことになりかねないからです。そんなことをしたら、下訳者が使った時間の分だけ、全体が遅れてしまいます。

　下訳者のレベルも問題です。ざっと訳す段階であっちもこっちもまちがえてしまうと、結局、上訳者がぜんぶやり直すことになります。逆に、そういうミスがほとんどなく、しかも、上訳者と似た方向性の訳を出す人が下訳者についてくれれば、細かな調整だけで最終的な訳文にできる可能性があります。

　過去、「下訳者さんは何人くらい使っていますか」とか、「こちらで下訳者を用意しましょうか」などと聞かれたことがあります。ということは、それなりによくやられている方法ではあるのでしょう。また実際、いわゆる師匠とお弟子さんという関係で何年も一緒に勉強している人が下訳をして、それがそのうち共訳になり、ひとり立ちしていくなんて話もあります。

　ですが、スケジュールが厳しく失敗が許されない仕事で、過去にやったことのない方法はリスクが大きすぎます。翻訳者のタイプとしておそらくはうまくいかないだろうと思うやり方なのであればなおさらです。

共訳で「ジョブズの性格」が豹変する？

　2の「共訳」は、複数人で分担するやり方です。ふたりなら半分ずつ、3人なら3分の1ずつなどに分ければ、ひとりが訳す量が減るので、短い期間で仕上げられるというわけです。緊急出版のものなど、10人前後の共訳になっていることもあります。

　ただ、このやり方にもデメリットがあります。

　分担すれば、どうしても細かなところにズレが生じます。特に、心の動き、感情の揺れなどは言葉の端々に出るものですから、訳す人が違えば必ず微妙に異なってしまいます。

　章単位で事例が並んでいる本なら、このあたりを気にする必要はほとんどありません。登場人物もお話も、それぞれに違うわけですから。その状態で違和感が出ないくらいの調整なら、一定レベル以上の翻訳者ならたいがいできます。

　対して『スティーブ・ジョブズ』のような伝記はおかしくなりがちです。主人公は最初から最後までずっと登場していて、成長に従って少しずつ口調や感情などが変化していくものだからです。途中で翻訳者が変わると、性格が突然変わったように感じられるとか、ほかの人との関係が少しずつ変わるのに応じて変化してきた口調などが少し戻ってしまうとか、いろいろありえます。どんな人でもありうる話ですが、それがスティーブ・ジョブズのように性格が激しく、振れ幅も大きい人ならなおさらです。激しさの方向性や強さが訳す人によって微妙に違ってしまいがちですし、読む人は読む人で、そういう違いには敏感に気づくものです。そうならないようにじっくり調整すれば、こんどは、時間短縮が難しいという話になってしまいます。

　長い本のあっちとこっちで話が微妙に絡んでいたりして、その結果、前に訳した部分にまちがいをみつけたり、もっといい訳し方を思いついたりするのもよくあることなのですが、そのフィードバックが効かなくなるという問題もあります。ここは、時間的制約をクリアするためには

あきらめてもいいかなという部分ではありますが。

　いずれにせよ、「世界同時発売」を実現しようと無理矢理スピードを上げた結果、中途半端な訳になってしまうなら、一定レベル以上の人同士で組み、連携を取りながらきちんと訳したほうがいいものに仕上がります。これは十分にありうる選択肢なわけです。

必死でがんばって……なんとかなるのか？

　3の「必死でがんばる」についても、メリットとデメリットがあります。

　メリットは1「下訳」や2「共訳」のデメリットが防げること。だから、時間に余裕があってひとりでできる本はひとりで訳すのが一般的なわけです。

　デメリットはどうしても時間がかかること、そして、無理にスピードを上げようとすると手抜きになって品質が落ちること。翻訳の量は、平均すると、英日翻訳で1日がんばって1500ワードくらいがいいところです（私は手が速いほうなのでこのくらいできるが、一般にはもっと少ない）。この英語を読者として読むだけなら、私の場合、5〜10分というところです。また訳文は4000字前後になるのですが、これも入力するだけなら60〜80分もあれば足ります。読んで書くだけなら合計1〜1.5時間で終わるはずなのです。なのに訳すと丸一日かかります。残りの時間はなにをしているのかと言えば、英語について調べ、事実について調べ、日本語について調べ、いろいろと考え合わせて原文理解の解像度を高め、それにぴったりの日本語をみつけるということをしているわけです。英語も、ほかの言い方ではなくなぜその表現を選んだのかなどまで考えますし、日本語側はもちろん、少しずつ違う表現を二桁に達するくらいは考えたうえで選んでいたりします。このどこまで調べるか、どこまで考えるかを少し狭くすれば、訳すスピードは上がりますが、質は下がります。

　調べ物をしていたはずなのに、ふと気づいたら、ぜんぜん関係のない

サイトを熱心に読んでいたとかけっこうやらかすのですが、削れるのはそのくらいなわけです。言い換えれば、3の「必死でがんばる」によるスピードアップとは、朝なるべく早い時間に仕事を始め、ほかのことはなるべくせず、休憩時間も減らして、なるべく遅い時間まで仕事を続ける。これをくり返すということになります。注意しなければならないのは、集中力を切らさないこと。集中力が切れるとがっくりスピードが落ち、時間だけかかることになります。だからふだんは休憩も入れれば、翻訳をしない休日を作ったりもするわけです。それなしに集中力を切らさないというのは、ある意味、無理をすることになります。どうするか。気力ですね。だから「がんばる」なんです。

　そうやってがんばれば、品質への影響はないのか。あります。プロの翻訳者として、「影響ありません」なんてウソは言えません。正直な話、影響はあると思っています。だいたい、気合でがんばるとか、精神論が出てくる時点でアウトです。だからふつうは、もっと時間をくださいとなるわけです。品質のことだけを言うなら、「刊行を遅らせ、十分な時間を確保してひとりでやる」が一番です。でも、「世界同時発売」という縛りと両立しないので、その選択肢ははなからありません。どの選択肢を選んでも、品質的にベストなものにはならない。その中で、どの選択肢を選ぶのが、相対的に一番いい本になるのかを考えなければならないわけです。

　今回は、ぎりぎりいけそうだとの見積もりで3の「必死でがんばる」を選びました。

- ほかの仕事は断れるかぎり断る
- 週末休みも夏休みもなし
- 睡眠時間も耐えられる範囲で少なめにする
- 日中の休憩時間も倒れない範囲で削る

そのほかにもできるかぎりの工夫をすればなんとかなるだろうと考え

たわけです。

　もちろん、最後になって、ごめんなさい、まにあいませんでしたは許されません。ですから、まにあいそうになければ早めに判断し、その時点で共訳者をたてるなりの対策を検討しましょうということにしました。

ほかの仕事はどうするか？

　公認伝記『スティーブ・ジョブズ』を担当すると決まったのがゴールデンウイーク明けの5月11日。その1ヵ月あまり後の6月半ばには原稿が届き、9月末まではそちらにかかりきりになりますし、その後10月いっぱいもゲラ読みなどで時間に余裕はないはずです。

　遊びはあきらめればいい。問題は仕事です。すでに途中まで進んでいる仕事や請けてしまっている仕事は、いまさら、半年近く待ってくださいと言えません。つまり、この直前に訳し上げた1冊については、後工程のゲラ読みをしなければなりません。もっと大きな問題は、次の1冊ももう請けていて、少し休んで夏の終わりにとりかかるつもりにしていたことです。

　実はこの前年、いわゆる産業翻訳を一人前やった上に書籍も4冊とこちらは一人前以上やったもので、さすがに疲れてしまいました。私がやるようなビジネス書は分厚いものが多く、1冊が7万〜8万ワードくらいあります。このくらい厚いものだと、1年間で3冊くらいというのが一般的です。私は手が速いほうですが、それでも産業翻訳をしながら4冊というのはさすがにきつすぎました。

　詳しくは後述しますが、産業翻訳とは、企業活動などから生まれてくる翻訳案件です。

　翻訳というと本の翻訳を想像する人が多いのですが、翻訳業界においては、産業翻訳とか実務翻訳とか呼ばれる仕事のほうが一般的だったりします。私も、もともとは産業翻訳を専門にしていました。そして途中から、書籍の翻訳（いわゆる出版翻訳）も手がけるようになったのです

が、このころは、出版翻訳がどんどん増えていたのに産業翻訳はまだ減らしておらず、とにかく忙しい毎日でした。

そんなわけで、この年は少しペースダウンしよう、書籍は2冊だけにしようと考えていました。

2011年の1冊目『驚異のイノベーション』は、2010年7月に出た『驚異のプレゼン』に続くもので、2010年8月には話が来ました。とてもおもしろかった本の続編的なものですから、これは当然にやりたい話です。即答でお請けしました。原書そのものも9月末に届きましたが、年内はほかの本で予定が詰まっていたので、取りかかったのは年明け、2011年1月半ばでした。

それから2ヵ月であちこちの出版社から4冊も打診をもらいました。1冊は前に担当した本の続編でした。1冊は原子力発電関係で、3月11日の福島第一原子力発電所事故をうけて急いで出したいというお話でした。ほかの本も、みな、内容的にはおもしろそうで担当したいものばかりです。なのですが、年に2冊までとしたこともあって2冊はスケジュールが合わずに流れてしまいましたし、原子力発電関係の本は出版社さんが版権の獲得競争に敗れて流れ、結局、1冊だけ担当することになりました。これで、2011年の予定は満杯。次に打診を受けたら、2012年になってから翻訳に取りかかるのでもよければやりますと答えるつもりでした。

ところがそこに『iSteve』刊行のニュースが飛び込み、最終的に3冊分も追加で訳すことになるわけです。なんだかんだで流れた3冊がどれかひとつでも決まっていたら、『スティーブ・ジョブズ』はあきらめざるを得なかったかもしれません。流れたときは残念に思いましたが、まさしく、人間万事塞翁が馬、です。そういう意味でも、あの年、私は強運だったと思います。

さて、公認伝記『スティーブ・ジョブズ』を担当すると決まったからには、その翻訳用原稿が届く6月半ばまでに、夏の終わりから秋にかけ

てと思っていた他社さんの本にめどをつけておく必要があります。『スティーブ・ジョブズ』が終わって少し体を休めてから取りかかったのでは、訳し上がりが半年くらい遅れかねません。それではさすがに迷惑をかけてしまいます。

「今年は体を休めるはずだった」——そんなことを言っている場合ではありません。講談社さんとのミーティングから戻った翌日の5月12日、さっそく翻訳に取りかかりました。ふつうなら訳出に2ヵ月という厚さの本ですが、それではまにあいません。『スティーブ・ジョブズ』と同じく倍速で訳すことにしました。予行演習と言えば言えますが、要するに、倍速でがんばる期間が3.5ヵ月から4.5ヵ月に1ヵ月延びるわけです。しんどい。しんどいけど、それは自分が選んだ道です。がんばるしかありません。

　年初から訳していた『驚異のイノベーション』の仕上げもやらなければなりません。

　できるかぎりの準備はしました。ぎりぎりですが、なんとかまにあわせることができました。6月半ばに『スティーブ・ジョブズ』の原稿が届いたら、その日から全力疾走する準備ができたわけです。

育児分担は妻に「要相談」

　こちらも詳しくは後述しますが、私は、もともと、「子育てに必要な時間のやりくりを共働きの家庭内でつけるため」会社員を辞めてフリーランスの翻訳者になりました。夫婦ふたりとも組織勤めではどうにもならないので、妻は組織勤めを続け、私が、時間的なやりくりをつけられる仕事に転職した格好です。

　『スティーブ・ジョブズ』の翻訳をした2011年、子どもたちは中学の1年生と3年生でした。赤ん坊のころに比べればずいぶんと手がかからなくなったとはいえ、なんでも自分でやれとほうっておける年でもまだありません。そのしわ寄せは妻に行きます。

　講談社さんにアプローチする時点で、話題の本だしいままでと違って

いろいろと大変なことがあるかもしれないと妻には話を通し、ここはがんばるところでしょうねとは言ってもらっていました。

　ただ、実際の話は予想していた以上に大変で、4ヵ月あまり、家のことはほぼほったらかしになりそうです。なので、講談社さんと話をした日の夜、状況を説明して了承してもらいました。

6月：翻訳スタート！
予定は未定にして決定にあらず

準備万端なのに原稿が届かない

　さて、6月半ばに米国から翻訳用原稿が届くはずと準備万端整えたのに、原稿が来ません。講談社さんもくり返し催促してくださっていたようなのですが、「2〜3週間のうちには半分くらい送る」と回答を得たとの連絡が6月18日にようやく入るていたらくです。

　原稿が遅れるのはよくあることです。このくらいには書き上がると思っていても、実際に進めてみると追加であれこれ出てきて時間がかかるとか。翻訳だってそうなることがあります。まして、本を書くとなれば、やっぱりあれも書きたいとか、いろいろあるだろうと思います。

　でも、ねぇ。後ろが決まっていて、「できますか」に即答できないほどスケジュールがきついものでこれはつらい。翻訳に使う期間をふつうの半分、3ヵ月半に詰めるという話なのに、それがさらに半月以上と15〜20％も縮むことになるわけですから。

　原稿が遅れる分、刊行も遅らせてくれるならいいのですが、クリスマス商戦にまにあわせたいという話ではそれもないでしょう。米国は11月末のブラックフライデーからクリスマスプレゼント狙いの商戦が大々的にくり広げられます。米国最大のセール期間であり、そこにまにあうか否かで売れ行きが大きく左右されるのはまちがいありません。日本の都合などおかまいなしに、なにがなんでもまにあわせようとするはずで

す。

　そのあたりを問い合わせると、「ジョブズが亡くなったあと、しかるべき期間をおいて刊行という話もあるが、クリスマス商戦狙いという話もあり、正直、どうなるかわからない。講談社としても販売戦略が立案できなくて困っている」といった回答が返ってきました。すべて米国側次第で、日本の我々はなにがどうなろうと必死でやるしかない。そうとしか言いようがないようです。

機密書類扱いの「コピーブロック」

　また、このとき、「原稿はコピーブロックをかけた紙原稿、部数は1部のみ」と言われました。コピーすると読めなくなる細工がしてある原稿、ということです。電子データはもらえない（講談社さんもかなり強く申し入れてくださったが、電子データの提供は著者側に拒否された）。コピーブロックがかかっているということは、紙原稿をスキャンし、OCR（光学文字認識）ソフトで電子化することもできません。

　これは大問題です。作業に要する期間などは、すべて、電子データがあることを前提に見積もっていました。原文テキストが電子データになっていれば、キー入力することなく辞書を引くツールが使えます（ツールは自作している）。紙では、いちいち単語をキー入力しなければ辞書も引けません。知っている単語に思わぬ意味があったりするので、そういう確認を含め、辞書は1日に何百回も引きます。それを毎回キー入力するだけで1日に30分から1時間も余分に時間がかかってしまうのです。また、あんな話、こんな話がどこかにあったよなと思っても、検索でみつけることができず、ページを繰って読み直す必要があります。電子データがなければ、所要時間が倍以上に延びかねません。

　1セットのみというのも大問題です。私の手元には原稿が必要です。ぜんぶ訳し終えるまで、原稿ぜんぶが必要です。下巻を訳しているとき、上巻のあそこ、なんて書いてあったかなと確認するなど、上巻部分の原稿を参照することがよくあるからです。でも、上巻分の訳稿を早め

に渡し、下巻を訳しているあいだに上巻の後処理をしてもらうなら、講談社さんの手元にも原稿がないと困ってしまいます。

それはまずい、なんとかしてくださいと強くお願いしました。当然ながら講談社さんも同じ意見で、米国側にぶつけてくれましたが、なにせ著者も著者についているエージェントも米国トップクラスの人ですし、今回は案件が案件で、すごく強気です。最悪を覚悟しておく必要がありますねという編集さんのコメントに心がずーんと沈みました。

7月：スティーブ・ジョブズに 日本語で語らせる

原稿は遅れて分量は増える

結局、2週間遅れて7月1日の金曜日に原稿の半分ほどが届きました。3ヵ月半しかなかった翻訳期間が15％も縮んだわけです。不幸中の幸いは、ふつうに印刷された原稿だったこと。スキャン・OCR処理で電子ファイル化することができました。

さて、その原稿ですが、どうも、分量はかなり増えそうです。ぜんぶで15万ワードという話でしたが、届いた分だけで11.5万ワードもあるのです。この原稿の1ページが本でも1ページであり（本のデザイン次第で1ページの量は異なる）、総ページ数が米国アマゾンなどに発表されているとおりだとすると、全体で17万ワードくらいの計算になります。でも、同封されていた目次によると章でちょうど半分までのはず。ということは、倍の23万ワードになる可能性のほうが高いでしょう。加えて、伝記の内容が現在に近くなればなるほど関係者が覚えていることが多くて取材もしやすく、ネタも増えるはずで、後半になるほど1章あたりの量が増えることも考えられます。最悪、25万ワードでしょうか。

これ、ほんとにクリスマス商戦にまにあわせられるのか？　書き上がれば出せる米国はいいとして、翻訳しなきゃいけない他国から無理だと

悲鳴が上がるのでは？ そう思ってしまう量です。

一番大変なのは私でしょう。英語→欧州言語に比べて英語→日本語は言語の違いが大きく、手間がかかるからです。英語を含む欧州言語は言語学的に「インド・ヨーロッパ語族」とまとめられたりするくらいでそれなりに似ています。対して日本語は系統からしてまるで違います。そして翻訳というのは言語の壁を飛び越える営みです。似ている言語同士なら小ジャンプですBoardMembersので、翻訳に要する時間もエネルギーも少なめです。対して、英語と日本語など違いが大きい言語だと大ジャンプが必要になり、翻訳に要する時間もエネルギーも増えてしまいます。

四の五の言ってもしかたありません。とにかく取りかかりました。

「全集中」できない理由

取りかかるのは取りかかったのですが、前述したようにほかにも仕事がありました。まず、この間も産業翻訳の仕事が入っています。

産業翻訳の仕事は企業活動に伴って生まれるものなので、予定がたちません。しかも大半は私を指名してくれる仕事ですから、基本的に断れません。

スケジュールが厳しいので『スティーブ・ジョブズ』のあいだ産業系の仕事をすべて断ることも考えましたが、長年おつきあいしてくださっているお客さんに迷惑をかけるのはよくありません。また、『スティーブ・ジョブズ』が終わればふつうの状態に戻るわけで、「そしたらまたよろしく」は虫がよすぎる話です。並行してがんばるしか選択肢はありません。

外仕事もありました。翻訳者というのは、毎日、家から出ることもなくパソコンの前に座り、終日、かちゃかちゃかちゃかちゃキーをたたく生活が基本で、忙しくなると、ゴミを出しに行くくらいしか家から出なくなったりします。一日に1000歩しか歩かないなんてざらです。それでもたまには、出て行かなければならない仕事があったりするのです。

たとえば7月7日の木曜日には、『驚異のプレゼン』を書いたカーマイ

ン・ガロの来日イベントがありました。2冊目となる『驚異のイノベーション』の出版記念でもあります。両方を訳した私も出ないわけにいきません。仕事としてもおもしろかったし、『驚異のプレゼン』はこのころすでに20万部突破の大ベストセラーで多くの人に読んでいただきましたし、それがあったからこそ『スティーブ・ジョブズ』を担当できたとも言えるわけで、私としては大事にしたい仕事です。

　というわけで、ひさしぶりに外出しました。

　さて、この日、午後のイベントから夜の懇親会まで少し時間があいていたので、「トブ　iPhone」というアップルファンに有名なサイトを書いているブロガーさんとお茶に行き、時間調整をすることにしました。お互い、ネット経由で相手のことをなんとなく知っているけど、会うのはこの日が初めてでした。

「井口さん、『スティーブ・ジョブズ』の翻訳もやられるのですか？」

「……その質問には答えられません。『この本をだれが訳すかはまだ公表しない』と出版社さんに言われてますから」

　……って、私がやりますって言ってるに等しいですよね。ただ、同時に、「表に書かないでくださいね」とも言っているわけです。トブさんはそのあたりちゃんとくんでくれて、講談社さんから情報が公開されるまで翻訳が私であることは書かずにいてくれました。

　定期的な仕事もあります。このころ、私は、翻訳の業界団体、社団法人日本翻訳連盟（2012年より一般社団法人）の常務理事なる役職についていて、2ヵ月に1回くらい理事会に半日取られる状況でした。連盟の関係でセミナー登壇を依頼されることも多く、この年は、10月に関西でということで準備が進んでいました。連盟が毎年おこなうイベント、翻訳祭にも登壇という話が持ち上がっていて、このころ、打ち合わせのメールが飛び交ってもいました。

7月9日：第1章8000ワード終了

　さて、肝心の原稿ですが、やはり、本人が認め、協力した最初で最後

の公認伝記は違うと感じました。序盤で一番驚いたのは、生みの親が登場したこと。ジョブズは伝記が何冊も書かれていて、若いころのエピソードは語り尽くされている感があるのですが、でも過去の伝記はすべて非公認です。公の場で語られることが少ない私生活は掘りさげられません。まして、秘密のうちにおこなわれた養子縁組の詳細などは調べようがないでしょう。本人が語ってくれないかぎり。すでに語られているエピソードについても、情報量や解像度が一段違うなとあちこちで感じました。

　そんなことを思いながら訳出を進め、第1章8000ワードをざっと訳し終えた7月9日の土曜午後、粗訳の状態で訳稿を講談社さんに渡しました。読み直しもしていない一次訳で、誤字・脱字もあるはずですし、そもそも、第1章の段階では詳細がわからず、「両者（どの両者？？？　母親とジョブズ？　モナとジョブズ？　両方を一緒にみつけたはずだが、ここではどちらを指している？？？　後半が届いたら要確認）」「前半・後半でねじれている気がする。再度、要検討？？？」といったメモも入っています。そんな原稿をここで渡しているのは、調子を確認してもらうためです。なんども一緒に仕事をしている編集さんなら、「いつものように」ですみますが、今回は初めて組む編集さんですから。「もうちょっとこういう感じに」など意見があれば、早い段階で出してもらったほうが楽ですし（あとから修正するより訳すとき調整したほうがずっと楽）、編集さんにとっても、どういう原稿になりそうか、感触をつかめたほうが安心できるはずです。

　結果は、「特に意見はありません。このまま進めてください」でした。細かいところの相談はしたいが、基本的にクオリティが高いのでそのまま進めてもらってかまわない、ということです。

　最初の1週間で訳せたのは1万1000ワードでした。平均で週に1万7000ワードくらい進めなければならないはずで、とてもまにあわないペースです。ですが、これは想定の範囲内です。最初は著者の文体をどう訳すのかなど、いろいろと考え、調整しなければならないことがたくさんあ

ります。後半は、その流れに乗って進めればいいので、たいがいスピードアップします。

ウォズニアックが「ぼく」、ジョブズが「僕」である理由

「訳文の文体は原著の文体に合わせて調整する」が基本です。きっちりした文体なら日本語訳もきっちりした文体にするし、口語的に崩れているものは崩した日本語にするわけです。基本的には原文のイメージ次第。原文とかけ離れた文体にすると、どうしても無理が出てしまいますから。ただ、ある程度は翻訳時に調整ができるのも、また、事実です。私は、伝記などの読み物を中心に、その幅の中で柔らかめ、崩し気味にすることがよくあります。できたら、本をあまり読み慣れていない人にも楽しく読んでほしいと思うからです。

　たとえば『アップルを創った怪物』では次のように考えて文体を決めました。

　この本の特徴は「ウォズの昔語り」であることです。ウォズが昔を思いだしてライターに語り、ライターが書籍にまとめるという形で作られた本なのです。そのような方法でも、書籍にまとめるにあたり書き言葉にされることが多いのですが、この本はウォズの語り口、そのままという感じの仕上がりになっています。

　ですから、「ウォズが自分に語りかけてくれている気がする」ように訳す、を基本方針にしました。しかも、友人として語りかけてくれているように。

　ただ気さくに語るといっても年齢は60に近く、おっさんもいいところです。じゃあ、落ち着いた雰囲気にするか……なんてことはウォズの場合、ありえません。少年の心を忘れていない……というより、少年がそのまま大きくなったような人なのですから。昔のいたずらについて語っているとき、その目はきっと輝いていたはずです。

　そんな人が親しく語りかけてくるなら、きっちりした言葉のはずがありません。原著の英語も、いかにも楽しくしゃべっているという感じに

崩れています。というわけで、訳文の日本語はかなり崩してあります。崩すというのは加減が問題で、やりすぎると単に変な日本語になってしまうので怖いのですけど、この本の大きなポイントなので逃げるわけにはいかなかったと思っています。

　ちなみに、この本、当初担当してくださっていた編集さんが体調を崩され、途中で別の編集さんに交代となりました。訳の調子は最初の編集さんと打ち合わせてあるし、最初のほうの章を参考に提出して「こんな感じでいきましょう」という話をした上で全体を訳したのですが、交代してくださった編集さんは、全部できあがった訳をいきなり読むことになります。その編集さん、読みはじめた当初「さすがにコレはないだろう」と思われたそうです。それだけ、ノンフィクションの翻訳としては異色なパターンということです。でも、原著を読む限り、こういうイメージ以外、訳し方を私は思いつかなかったし、最初の編集さんもそれに賛同してくださっていたわけです。交代後に担当してくださった編集さんも、「しばらく読んでいたら、これはこれでいいじゃないか」と思ってくださったとのことで、全編語りという形での刊行となっています。

　同じく私が翻訳した『驚異のプレゼン』のカーマイン・ガロは、本業がコミュニケーションコーチだからか、少ししゃべりに寄った書き言葉で親しみやすい語り口が特徴です。取りあげているジョブズの言葉も、プレゼンという聞き手を意識して練り上げたもので、すごく親しみやすいしゃべり言葉です。なので、日本語も、そのくらいのイメージになるようにしてあります。

　対して『スティーブ・ジョブズ』のウォルター・アイザックソンは、凝った表現をわりとよくする人のようです。さすが、格調高いタイム誌で鳴らした人、というところでしょうか。なのに、取りあげているジョブズは、私的な場では口が悪いことで有名。落差が激しく、下手すればその落差が違和感につながりかねないと、だいぶ悩みました。最終的には、ジョブズの言葉はそのままの調子、アイザックソンが語る地の文はいつも以上の幅で柔らかめに振って落差を少し小さくすることにしまし

た。

　2023年にやはり翻訳を担当した、同じくアイザックソンの『イーロン・マスク』（文藝春秋）は、さらに汚い言葉が増えています。ジョブズよりマスクのほうが口汚いというより、マスクは2年間、それこそ影のように付き従う密着取材で描いたため、現場で使われた口汚い表現がたくさん取りあげられたということなのだと思います。地の文も、『スティーブ・ジョブズ』の一歩引いた客観的な雰囲気ではなく、臨場感が一段強く出ています。そして「格調の高さ」はかなり引っ込んでいます。なので、地の文も臨場感が出るよう、少し語りっぽく訳したつもりです。

　いろいろと考え、調整しなければならないこととしては、ほかに、一人称をどうするか、漢字・かなの使い分けをどうするかなどがあります。

　たとえば一人称。英語はなんでもかんでも「I」ですが、日本語はいろいろとあります。テレビなど公的な場でしゃべっているところなら「私」が無難ですが、親しい相手と話しているときは違う一人称を使うことが考えられます。僕、ぼく、俺、オレ……これだけで雰囲気がだいぶ変わります。『スティーブ・ジョブズ』では、親しい相手との会話は「僕」にしました。人なつっこいウォズニアックは一段柔らかく、全面的に「ぼく」です。ちなみに、私、僕、ぼく、俺、オレなどどの一人称を使うかで、それ以外の部分も微妙に変わります。文末が「です・ます」か「だ・である」かはもちろん、使う単語も変わります。基本的に、かためなら漢字で書くような単語、ぼくなど柔らかめならひらがなで書くような単語が多くなります。

　漢字・かなの使い分けは地の文でも問題になります。文章をどのくらいのかたさにするのかで、同じ単語を漢字にする本と、かなにする本があったりもしますし、そもそも、漢字で書くような単語を多めに使ったり、逆に、ひらがなで書くような単語を多めに使ったりするのです。

　一人称も漢字・かなの使い分けも、あとから直そうとすると大変な

とになります。それもあって、初めて一緒に仕事をする編集さんには、最初の章を粗訳の段階で見てもらうわけです。なんども一緒に仕事をしてきた編集さんでも、いつもと大きく変えた形にするときは、最初の部分を見てもらっておきます。

　ちなみに、単純な漢字・かなの使い分けについては、出版社さんごとに標準的なルールがあるので、そちらに合わせてくれと言われる場合と、相談で調整する場合と、翻訳者の好きにできる場合があります。詳しくは後述しますが『スティーブ・ジョブズ』の場合、相談している時間がなかったので、最後、講談社さんの表記ルールで統一となりました。ただし、カギ括弧に入っているしゃべりの部分は人によって使い分けていたりするので、なるべく触らないでくれとお願いしました。

訳出スピードは「著者との相性」で決まる？

　訳出のペースは翻訳者によって違いますが、自分ならたいがいこのくらいという目安があります。また、後半の訳出は、たいがいスピードアップします。

　ただし「たいがい」は、たいがいでしかありません。訳出のスピードが予想どおりにならないというのもよくある話です。

　訳出のスピードというのは狙えるものではなく、結果として出てくるものであり、やってみたら想像以上に時間がかかったりするのです。『スティーブ・ジョブズ』も、章が移ったとたん、訳出のスピードが3割も上がったり下がったりなんてことがありました。たとえば、基本的に事実が並べられているのか心情的な話が多いのかでスピードが大きく変化します。事実が多ければさくさく進みがちですが、心情的な話は読み取りにも表現にも時間がかかります。文単位でもややこしいというか手間のかかるものがときどき出てきます。平均して1時間500ワードくらい進んでいるところで、10ワードくらいの1文に10分も20分もかかるなどざらです。

　著者との相性もあります。訳出しやすい人としにくい人がいるので

す。訳文の文体は原著の文体に合わせて調整するわけですが、それが得意な文体なら楽ですし、不得意な文体ならどうしても時間がかかってしまいます。つまり、私にとって訳しにくい人でもほかの人には訳しやすいかもしれません。だから「相性」です。

　ともかく、その結果、内容から予想したスピードと3割くらいずれるなんてざらにあります。ハーバード・ロースクールのジョナサン・ジットレイン教授がネット犯罪について書いた「ウェブ退化論」、『インターネットが死ぬ日　そして、それを避けるには』（ハヤカワ新書juice、以下『インターネットが死ぬ日』）なんて、全編、予想の6割くらいしかスピードが出なくて苦労もすれば予定から大きく遅れる結果にもなりました。

　今回は伝記物だし、内容的にかなり親しんだものだし、時間的制約がきついしで、もともとの想定スピード自体、『インターネットが死ぬ日』などの3割増しくらいになっていました（つまり、『インターネットが死ぬ日』で実際に出たスピードの2倍で訳出していかないとまにあわない）。どこをどう見てもぎりぎりであり、やってみたらそんなにスピードが出ませんでしたという事態は十分に考えられました。

　そのため、「とにかくやってみて、進みが思ったより悪いなら、その時点で共訳者をたてるなどの対策を考えましょう」という話でスタートしたわけです。実際にやってみるとスケジュールから先行はできないけど、特に遅れることもなく、想定の範囲内くらいしかぶれなかったので、結局、最後までひとりで訳すことができました。

　いろいろ工夫した、だからなんとかなった、みたいなことを書いていますが、ふつうならどう工夫してもひとりで訳すのは無理だったと思います。私は翻訳者としてかなり手が速いほうですが、それでも、正直な話、この本だからなんとかなったのであって、別の本だったら絶対に無理です。そのくらいきついスケジュールでした。

　この本だからなんとかなったというのは、過去、ジョブズに関連する本を4冊も翻訳してきていて、いろいろな意味で蓄積があったからです。

　そうでなければ、もうあと2.5ヵ月は必要だったでしょう。同じペースで仕事ができたとして、蓄積がない分であと1ヵ月以上（事実関係の確認や関連の調べ物など、訳出以外にしなければならないことが大きく増える）。で、期間が延びれば無理が続かなくなるので、その分で1ヵ月前後。合計2ヵ月強は延びるはずです。

　そういう意味では、これも点と点が結べた例かなと思います。

翻訳業界に「事件」が勃発

　この時期、遊びに行く話はすべて断りましたし、仕事も先延ばしできるものはぜんぶ先延ばししてもらうなど、なるべく『スティーブ・ジョブズ』だけの生活にしていましたが、自分の力ではどうにもならない事件も起きたりします。

　まずは『アインシュタイン　その生涯と宇宙』事件。ウォルター・アイザックソンが『スティーブ・ジョブズ』の前に書いた本の日本語版です。6月末に出ていたのですが、翻訳があまりにひどい章があると悪い意味で話題になってしまいました。たとえば以下のような例がアマゾンの書評では挙げられていました。

　　彼は、時には、やかましくこっこっと鳴って、終わりに全体の出来事が「最もおもしろい」と断言した。（p.39）

　　ボルンの妻のヘートヴィヒに最大限にしてください。（そのヘートヴィヒは、彼の家族に関する彼の処理、今や説教された頃、彼が「自分がそのかなり不幸な回答に駆り立てられるのを許容していないべきでない」と自由に彼に叱った）。以上は、彼が目立つべきであり、彼女が言ったのを「科学の人里離れている寺」に尊敬します。（p.41）

日本語の中に英単語が残っていたりもしたそうです。
共訳者のおひとりから「自分の知る経緯はこうだ」との説明がアマゾ

ンの書評に投稿されるなどもありましたが、本当のところ、なにが起きたのかはわかりません。文章からは、機械翻訳の出力をそのまま本にしたとしか思えません（当時の機械翻訳はこんな感じだった。余談ながら、最近の生成AIによる翻訳は、一文単位ではそれなりになっているが、原文とは意味がちがっていたり、前後とのつながりが考慮されていなかったりで、売り物にはやはりならない）。最終的に、こういう訳の章を含む巻は回収され、改訂されたものに差し換えとなりました。

　一般的にも大騒ぎになったくらいですから、私の周り、つまり翻訳者仲間はもうもう大騒ぎも大騒ぎです。私はと言えば、『スティーブ・ジョブズ』を訳すことはまだ口外するなと講談社さんに釘を刺されていますし、『スティーブ・ジョブズ』を訳す以外のことをしている余裕もありません。でも、ここまでの騒ぎ、知らん顔というわけにもいきません。というわけで、一翻訳者として思うことを簡単にまとめてブログに書いたりはしましたが、ツイッターなどでのやりとりからは距離を置いていました。危うきに近寄らず、です。

　そんなある日、長年つきあっている翻訳者仲間からツイッターで呼びかけられました。
「あれ、見た？」
「うん、見た。ひどいね〜」
「そうじゃなくて、著者。同じ人でしょう？」
　急いで、ダイレクトメッセージを送りました。
「あの話、ここで止めて？　前のツイートも削除お願い。翻訳者がだれかはまだ非公開と講談社さんに言われているので」
　いや、ね、そら仲間にはばれてると思ってましたけどね。年内いっぱいくらいは声かけられてもなにもできない、私はいないものと思ってくれって言ってありましたから。

「父親業」は休めない！
　もともと我が家はフルタイムの組織勤め同士で結婚し、ふたりとも仕

事を続けたこともあり、世間一般に比べると家事も分担でこなす形になっていました。たいがい私のほうが勤務時間が長いので、家事の分担は妻のほうが多い状態でしたが。さらに、子どもが生まれたことから、子育てに必要な時間のやりくりを共働きの家庭内でつけるためにと、私が会社員を辞めてフリーランスの翻訳者になりました。我が家の子どもたちは、お母さんよりお父さんといる時間のほうが長いという珍しいパターンだったわけです。

『スティーブ・ジョブズ』の翻訳をした2011年、子どもたちは中学生とあまり手がかからなくなっていましたが、まだまだ遊びたい盛りで、完全にほったらかすわけにもいきません。そもそも、「子育てに必要な時間のやりくりを共働きの家庭内でつけるため」、会社員を辞めてフリーランスの翻訳者になったのですから、完全にほったらかしたのでは本末転倒です。

　もちろん、『スティーブ・ジョブズ』が決まったとき、これから秋までお父さんはすごく忙しくなる、だから、あんまり遊びにつきあってやれないという話はしました。ですが、大きなイベントはそれなりになんとかしましたし、学校があるあいだも朝晩、夏休み中は朝昼晩と一緒にご飯を食べていましたしで、特に不満を持っているという感じはしませんでした。言わないだけでがまんしていたのかもしれませんけど。

　そう言えば、見た目が怖かったという話はありました。私、地顔が怖いらしく、疲れたりお腹が空いたりして表情がなくなるとすごく怖いと家族によく言われます。『スティーブ・ジョブズ』を進めていたときは表情が消えていることが多くて、怖い顔ばかりだったと子どもにも言われました。機嫌が悪いわけではなく、単純に疲れていたりお腹が空いていたりするだけだと子どもたちも理解しているので、だからどうということはなかったようですが。

　このときの家族イベントと言えば、まず、結婚20周年記念がありました。我が家は毎年、結婚記念日を「お家の誕生日」として祝うことにしています。2011年は結婚20周年記念なので、ちょっと豪華バージョン

にしようとあれこれ相談して、1泊2日でディズニーランドとディズニーシーへ行き、帰りに、お家の誕生日恒例、帝国ホテルのバイキングということになりました。ところが、半年も前に1月のホテルを予約していたら家族が次々と体調を崩して流れ、4月に予約を取り直したら震災でディズニーランドが休業するなど予定どおりにいきません。結局、6月の末に行くことにしました。

『スティーブ・ジョブズ』を担当することにはなりましたが、これをなしにするのはさすがに子どもたちがかわいそうです。今年は豪華バージョンだととっても楽しみにしてきたわけですから。また我が家のディズニーランドは、座るのはアトラクションに乗っているあいだと昼ご飯・晩ご飯くらいで、開園から閉園まで園内を文字どおり駆けずり回ります。疲れがたまってきたころに行ったら倒れかねません。ですから、行くならこの時期しかない、と思い切って予約を取りました。結局、原稿が遅れてくれたので、私も、心おきなくディズニーランドを楽しむことができました。

　学校行事も基本的に夫婦で参加していました。たとえば夏祭り。学校の保護者有志が運営する夏祭りで、妻はカードなどのゲームコーナー、私は、七夕飾りの竹から弓矢を手作りして的当てを担当していました。前日の会場準備はいずれにせよ男手が不足しがちなので休めませんし、当日は、弓矢に不具合があればその場で直すなどもしなければならないので、やはり休むわけにいきません。弓矢は毎年人気で、今年はなしねというのもかわいそうです。というわけで、夏祭り当日の7月18日と前日の半日は学校に詰めていて、仕事がまったくできませんでした。

夏の30日は父子で山小屋暮らし

　7月27日には次男が通っているピアノ教室の発表会がありました。こちらも、少なくとも次男の演奏は聞いてあげないといけません。

　発表会が終わったら、夏休みに入った子どもふたりを連れて八ヶ岳へ移動です。

　実は八ヶ岳の麓に山荘があるのです。フリーランス翻訳者として独立して2年目の1999年、過労死しそうなほど仕事をする事態になり、そのときの稼ぎをほぼぜんぶつぎ込んで買った山の家です。翻訳者になった目的を考えると過労死しそうなほど仕事をするのはおかしいのですが、仕事というのは往々にして不思議な展開になるものでして。ともかく、フリーランスの翻訳者という仕事なら子どもたちを連れて夏休み中ずっと山にこもることも可能だ、だったらと買ってしまいました。デュアルライフや二拠点生活と最近言われているものを20年ほど前からしてきているわけです。

　このころは、子どもたちが夏休みの間、30日ほど、山で父子生活をしていました。妻は週末＋α（夏休みをばらして取る）で山、平日は東京で仕事です。

　山で父子生活をしているあいだ、例年は私も仕事を減らして子どもたちにつきあっていましたが、この年は例外で、朝から晩まで仕事が基本です。水遊びなど、万が一事故があると命にかかわるときだけは、休憩を兼ねて子どもにつきあいましたが、子どもたちも中学生で、自分たちだけで遊ばせてもたいがい大丈夫な年ごろになりましたから。

　山荘は標高1600mと高いところにあるので、標高差だけで東京などに比べて10℃近くも涼しくなります。夏でも長袖・長ズボンが基本となるほどです。

　私としても、涼しい高原のほうが体力的に楽です。なぜかわからないのですが、夜ぐっすりと眠れますし。東京にいると、エアコンを使ってもなにかと蒸し暑く、夜も汗びっしょりで目を覚ましたりしてしまうのですが。そんなわけで、子どもたちと自分の3人分、家事をぜんぶ負担することになっても、また、往復に時間を使っても、2週間ほども滞在するなら、山に行ったほうが仕事がはかどります。

　そんなこんな、いろいろとこなしながら7月が過ぎていきました。結果、7月いっぱいのペースはこんな感じになりました。

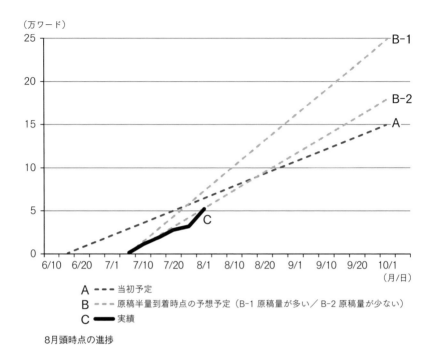

A ---- 当初予定
B ---- 原稿半量到着時点の予想予定（B-1 原稿量が多い／ B-2 原稿量が少ない）
C ━━ 実績

8月頭時点の進捗

8月：猛スピードでクオリティを保つ

8月1日：原稿後半の到着

　ここまでのペースでは、おそらくまにあいません。ですが、これも想定内。今回、内容は手慣れていますが、著者には慣れていません。前述のように、ジョブズの口調と地の文の落差をどのくらいにするかなど、だいぶ悩みましたし、最初のころは何通りか訳し方を試してみるということもずいぶんとしました。そんなわけで、最初はペースが上がらなくて当然なのです。実際、最後は、最大でこのくらいできるかなと思ったペースまで上がっていきます。

　8月1日に後半の原稿が届きました。最後の何章かはまだですが、これ

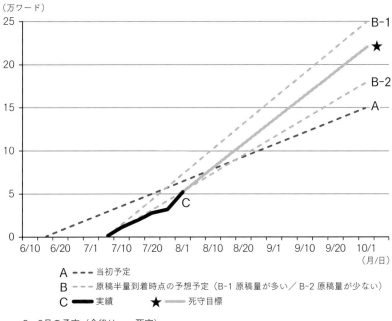

（万ワード）

A ----- 当初予定
B ----- 原稿半量到着時点の予想予定（B-1 原稿量が多い／ B-2 原稿量が少ない）
C ━━━ 実績　　★ 死守目標

8〜9月の予定（今後は ▬▬ 死守）

で最終的な原稿の量は推測できます。22万ワードくらい。やはり、予想範囲の多め側になりました。週2万ワード（3000ワード／日）、8週間走ればなんとかなる——本当にぎりぎりですが、不測の事態がなければなんとかなりそう。そんな感じです。

　8月13日、講談社さんに進捗状況を報告しました。予想どおりのペースになっていて、打ち合わせたスケジュールでいけると思います、と。このままひとりで突っ走るということです。

　もちろん、いろいろとスピードアップの工夫はしました。

　ひとつは、前述したスキャン・OCR処理による原稿のデータ化です。原稿が電子データになっていれば、過去10年ほどいろいろと作ってきた時間節約ツールが使えます。

　もちろん、デメリットもあります。OCR処理の認識精度は一般に99.9％ほどです。かなりいい精度のように思えますが、そうでもありませ

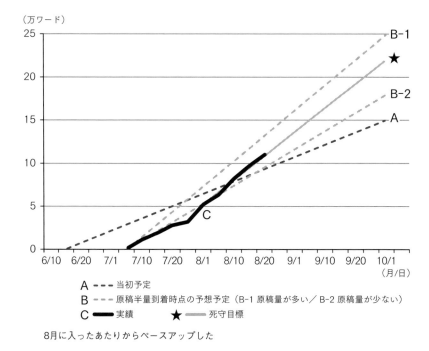

（万ワード）

A ---	当初予定
B ---	原稿半量到着時点の予想予定（B-1 原稿量が多い／B-2 原稿量が少ない）
C ━━	実績 ★ ▬▬ 死守目標

8月に入ったあたりからペースアップした

ん。今回、全体が22万ワード、つまり、アルファベットの数としては100万個くらい認識させたことになります。その0.1％、1000ヵ所くらいまちがいが生まれてしまうのです。ですから、紙の原稿も確認しつつ作業しました。ですが、人間がすることにはミスがつきものです。かなり気をつけたつもりなのに、少なくとも1ヵ所、紙原稿を確認し忘れておかしな訳にしてしまったところがあり、誤訳だと指摘を受けてしまいました。

　もうひとつは固有名詞の表記です。人名や企業名、製品名は、一つひとつ、表記を確認しなければなりません。日本企業でも、富士フイルムであって富士フィルムじゃないとか、キヤノンであってキャノンではないとかややこしいものがあったりします。海外の企業や人だと、スティーブなのかスティーヴなのかとか、これまたいろいろとややこしかったりします。つづりから思い浮かぶカタカナにするのか、発音に近い表記

にするのかもありますし、有名人だとすでに定着している表記があったりします。ですから、一つひとつ、思いつくパターンすべてをネット検索して使われ方を確認したり、動画を探して発音を確かめたりしなければなりません。『スティーブ・ジョブズ』の場合、主な登場人物は過去の仕事で確認してありますが、今回新たに登場した人や会社、製品などはひとつずつ確認しなければならないわけです。はい、とっても大変です。なので、ここは、講談社さんにも断った上で、知り合いの翻訳者ふたりに外注することにしました。過去に確認できていない名前は英語のまま残して訳稿を作り、それを送って、表記を確認してリストを作ってもらうわけです。ふたりから上がってきた表記が同じならそれを採用、異なっていたら、私自身が少し調べてそのどちらかを採用、としました。

　こちらもデメリットがあります。表記を探してネット検索をくり返すと、人となりだったり人間関係だったり、関連の情報がいろいろと得られるので、それに合わせてニュアンスを微妙に変えるなど訳文を調整します。その調整ができなくなってしまうわけです。

表記は「コンピュータ」か「コンピューター」か？

　ふつうなら、漢字とかなの書き分け方や、カタカナ語の書き方など、いわゆる表記も、対象となる読者層に合わせて調整します。しかし今回は、「講談社ルール」で統一されています。時間があるふつうの場合は、出版社のルールと異なる部分については相談しながら決めてゆくのですが、今回、もともと時間不足で難しかったのに加え、最後の最後に刊行時期が4週間もくり上がってしまい、そういう相談をしている時間が文字どおりなくなってしまいました。

　たとえばどういう影響があるかと言えば、わかりやすい例として「コンピューター」と「コンピュータ」があります。カタカナ語の末尾音引きを発音に合わせてつけるか省略するか、です。これ、一般には、「コンピューター」と入れておくのがふつうです。カタカナは表音文字であ

り、日本語での発音に近づけるのが当たり前ですから。しかし、過去、コンピューターの世界では省略されてきたため（コンピューターメモリを少しでも節約しようという涙ぐましい努力が発端だと言われている）IT系、特に技術関連では「コンピュータ」と最後の音引きを省略するのがふつうです。

　なお、このあたりの表記について一番の影響力をほこるマイクロソフト社が表記の原則を変更し、「末尾音引きは省略しない」としたので、だんだんとIT系にも「コンピューター」が浸透してゆくものと思われます。

　というわけで、寿命が短いIT系バリバリの文書は「コンピュータ」でもいいのですが、ある程度長く読まれるもの、あるいは、一般向けのものは「コンピューター」にしておくべきだと私は考えています。今回は当然に一般向けですし、もしかすればそれなりに長い期間読まれる可能性もあるので、「コンピューター」としておいたのですが、編集さんから「コンピュータ」にする修正が入ったのか（講談社ルールでは、「コンピューター」か「コンピュータ」か選んで統一することになっている）、書籍では「コンピュータ」になっています。

　なお、固有名詞は、こういう表記の原則とは関係なく、その会社が使っている表記にすべきです。「コンピューター」と末尾音引きを省略しないのが原則の場合も、「アップルコンピュータ」は「アップルコンピュータ」なわけです。

　また、ふだんあまり本を読まない人が読むことも考え、漢字は開き気味にしていて（漢字ではなく、かなにすることが多かったということ）、実際、講談社さんに提出した訳稿は少し開きすぎなくらいに開いてありました。最後にやりすぎた部分を調整で閉じる（かな→漢字にする）つもりだったのです。でも結局、そういう細かな調整をしている時間はなく、基本的に、こういうハードカバーで一般的な表記になっています（漢字が増えた）。

　ただ、しゃべりの部分（カギ括弧に入っている部分）だけは極力触ら

ないでくださいとお願いしておきました。ここは初校の段階で「私」と「わたし」、「僕」と「ぼく」など不統一で……という指摘があったので、「人によってわざとわけてあるのでいじらないで欲しい」と伝え、そのつながりから、カギ括弧内はあまり表記をいじらないという話になりました。

　このあたり、今回の進行では、私のゲラ読みと並行して校正さんのチェックがあり、その後、校正チェックを参照しつつ編集さんが手を入れるという例外的な形だったので、表記について「ここは考えがあってやっているので元のママ」などと意見を出せるタイミングがなく、基本、講談社さんルールが適用されています。

山岡洋一さんの急逝

　8月の10日ごろ、山岡洋一さんから電話をいただきました。『アインシュタイン　その生涯と宇宙』事件をうけ、ニュースレターの『翻訳通信』で機械翻訳を取り上げたい、記事を書いてくれという話でした。すぐは難しいとお伝えしたら、あまり遅くならなければいいとのこと。でしたら書かせていただきますと、なんだかんだ、1時間くらいはお話ししたでしょう。年も取ってきたし、このごろ仕事は減らしている。これからは古典の翻訳を中心に取り組みたい。そんなお話もありました。

　公認伝記『スティーブ・ジョブズ』の翻訳をしているところだという話はしませんでした。一応、秘密にしろと言われていましたし、終わったところで本を持ってご挨拶にうかがおうと思ったのです。

　山岡さんはビジネス書の翻訳で知られる大先輩で、その山岡さんのご紹介で『偶像復活』を訳したことが、私が出版翻訳をするようになったきっかけだったりします。

　山岡さんは出版翻訳を中心に業界をよくしていこうという活動もずいぶんとされていました。山岡さんが書かれた『翻訳とは何か：職業としての翻訳』（日外アソシエーツ、以下『翻訳とは何か』）は、我々翻訳者にとって読むと思わず背筋が伸びるバイブル的な書ですし、毎年年末に

は、山岡さんの呼びかけで始まったノンフィクション出版翻訳忘年会というものが開かれています。ノンフィクションの出版翻訳に携わっている翻訳者、編集者、版権エージェントなどが一堂に会し、横のつながりを作る貴重な場です。私も、新しい編集さんと知り合って仕事をいただくなど、ずいぶんとお世話になりました。

実際にお目にかかってお話しすると、はにかんだような笑顔と話し方が印象に残ります。ただ、内容は鋭いし、翻訳に対する真摯な姿勢が強烈に伝わってきます。『翻訳とは何か』を読むと、山岡さんは怖い人だなぁという印象を受けるのは、この部分が前面に出ているからです。「オレの訳稿は誤字・脱字はもちろん、表記などもすべてきちんと整えて出している。校正ゲラもなしにそのまま印刷してかまわない完成原稿なんだ。そう言ってあるのに、いろいろ勝手にいじくり回すところが多くて……」と言われるのも何度か聞いたことがあります。それから10年あまりたっていますが、私は、いまだにそこまでの境地にはいたっていません。私も、プロ翻訳者の中でかなり細かく注意を払っているほうだし、原稿の完成度も高いはずだと自負していますし、編集さんからもそのようなことを言われたりするのですが、それでもなお、です。

前述の電話から10日ほどあと、心筋梗塞で急逝されたとの連絡が入りました。知った瞬間、悔やみました。お電話をいただいたとき、「おかげさまで『スティーブ・ジョブズ』の翻訳をしています」とご報告すればよかった、と。

このころ私は、ノンフィクション出版翻訳忘年会の幹事に名を連ね、そちらでも山岡さんのお手伝いをしていました。ですから、この忘年会に参加されている方々に訃報をお知らせし、返信をくださった方とやりとりをしたり、葬儀の準備をしている方々のお手伝いをしたりとメールを山のように書くことになりました。

8月26日にお通夜、27日に告別式がありました。このころ私は文字どおり寝る間さえ惜しい状況だったわけですが、これをパスするというの

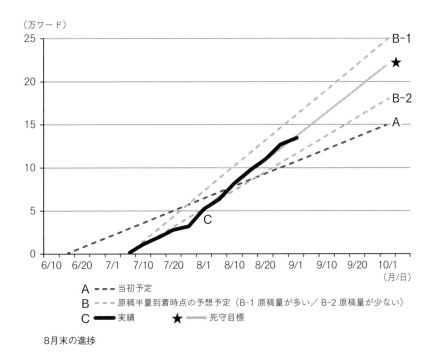

8月末の進捗

はありえません。八ヶ岳から東京に戻ってお通夜も告別式も出ることにしました。八ヶ岳と東京の往復が増えましたし、お通夜・告別式の会場が自宅からけっこう遠くて時間がかかったこと、お通夜から戻ってからだったので寝るのがいつもよりずっと遅くなったこと、9月1日には前半の訳稿を講談社さんに納めなければならず、前半の読み直し・修正が必要であったことなどから、この前後4日は新規の訳出がゼロになってしまいました。前の週末に予定より12ページ先行していたので遅れを7ページとつじつまが合わせられそうな範囲にとどめられましたが、そうでなければ、正直、危ないところでした。

　お通夜や告別式で山岡さんのお弟子さんと言われる方々ともいろいろとお話をしました。そうやって話をすればするほど、翻訳業界にとって大きな損失だ、早すぎると思ってしまいました。

一日10.5時間稼働で、上巻終了！

　時間が少し戻りますが、8月22日に、再度、講談社さんに進捗を報告しました。上巻分は一通り訳し終えた、読み直しなどをして、打ち合わせどおり、8月末には訳稿を渡せる、なにか波乱がなければその後も大丈夫だと思う、と。

　なんといっても一番心配なのは、体力がもつのか、です。倒れないぎりぎりまで無理をしようという計画になっているわけですから。8月末にはもうそうとうにヤバイ状態になっていました。8月25日の木曜日、妻が帰宅したときのことです。

「ただいま」

「おはよう」

「………」

　仕事以外に使える脳細胞は残っていないって感じですね。

　体調管理で気をつけたのは、寝る時間を一定にすることと必要なだけ寝ること、です。

　私は極端な朝型で、夜9時半ごろベッドに入るとぐっすり寝られますが、これが30分、1時間、遅くなると、とたんに眠りが浅くて疲れが取れなくなります。9時半に寝るなら、夕方、遅くとも6時には仕事をやめる必要があります。そのあと、家族とたわいもない話をしながら夕飯を食べ、350mlのビール1缶で緊張を解き、お風呂にもゆっくりつかる。仕事のことは考えない。考えると目がさえてしまいますから。

　朝は、目覚ましなしで目が覚めたときに起きます。最初は4時前後でした。9時半に寝て4時に起きれば睡眠6時間半ですから。ふだんはこのパターンで回るくらいに仕事の時間を抑えるわけです。でもそれでは『スティーブ・ジョブズ』の翻訳はまにあいません。休み時間を削って仕事時間を延ばせば、疲れがたまります。疲れてくると、朝、目が覚める時間が遅くなっていきます。4時前後だったものが4時半前後になり、5時前後になり、最後のほうは5時半前後になりました。起きる時間が遅

60

くなれば、その分、仕事時間が短くなりますが、倒れてしまえば元も子もありません。目が覚めないということはもっと寝ないとだめだと体が言っているわけで、しかたありません。

朝目が覚めると、コーヒーを淹れるなどに30分ほど使ってパソコンに向かい、仕事を始めます。7時ごろ、子どもたちと朝食（妻は出勤の準備をしながらなにかつまみ、この時間には家を出ている）。準備から食べて片付け、子どもたちを送り出すまで1時間くらいでしょうか。12時ごろ、残り物などでお昼。午前中の仕事時間は、長いときで6時間、疲れて朝起きられなくなったころで4.5時間というところです。ノーマルペースは一日の訳出時間が5時間前後、週4日ですから、午前中だけでふだんの1日分くらい仕事をしている計算になります（集中できるのは一日5時間が限界。訳す以外の仕事もあるし、長期的な話として勉強もしないといけないので、週5日訳出ばかりというわけにもいかない）。お昼から夕方6時ごろまでまた仕事。正味の仕事時間は4.5時間というところでしょうか。午後の途中で子どもたちが帰ってきたりしますが、おかえりとだけ言って仕事をしていました。妻が帰宅して7時ごろから家族全員で夕食。8時ごろ風呂、9時〜9時半には就寝です。この時期、私が担当していた家事は、子どもたちの朝ご飯と子ども関係の突発事対応くらいで、東京にいるあいだは晩ご飯の用意や洗濯など、大半を妻にお願いしていたはずです。ただ、子どもたちと山ごもりしていたあいだは、朝昼晩のご飯や洗濯も私です。

9月：スタートダッシュのまま
ラストスパートへ

9月7日：「ジョブズのCEO辞任」で原稿差し替え

9月1日、上巻分の訳稿を編集さんに手渡しました。そう、手渡しなのです。訳稿は電子データなのでふつうはメールで送るのですが、『ステ

ィーブ・ジョブズ』は米国側の要求で、訳稿のメール送付も禁止なら紙に印刷したものの郵送も禁止、すべて手渡しということになっていたと聞いています（最後は時間が足らずバイク便も使っています。不特定多数の手を経由するのではなく、人から人へと手渡しでつなぐバイク便ならぎりぎりセーフということでしょうか）。メールの送り先をまちがえて原稿が流出するのを恐れたのでしょう。幸い、担当編集さんのおひとりは自宅が我が家に比較的近いらしく、私の最寄り駅まで来てくださいました。編集さんが持参されたUSBメモリーに、私が持っていったノートパソコンから訳稿をコピーするわけです。もちろん、ついでに打ち合わせもしておきます。せっかく顔を合わせるのですから、有効活用しなければいけません。

　9月に入ればラストスパートです（スタートダッシュとラストスパートしかなかった気もする……）。毎日毎日、3000〜4000ワードを訳していきました。翻訳者仲間に言ったら驚かれるペースです。産業翻訳でも毎日2000ワードをコンスタントに訳せれば手が速いほうだと言われますし、書籍はなんだかんだと手がかかり、産業翻訳の半分くらいしかスピードが出ないと言われているのですから。

　このままいけば予定より早く終えられそうなのですが、なかなかそうは問屋が卸してくれません。

　9月7日、ジョブズのCEO（最高経営責任者）辞任（8月24日）をうけて第36〜41章を書き換える、新しい原稿は15日に送る、翻訳はせずに待てとの連絡が届きました。メールを読んだ瞬間、やばいと思いました。

　15日に送るというのは、米国発送なのか日本到着なのか、日本到着はいつになるのか、15日は木曜日だからそれが発送日なら時差もあって到着が週末にかかる可能性が高いが、週末でも受け取れるのか、それとも週明けになってしまうのか。訳出に使えるのはあと2週間ですから、原稿が届くのが1日違うだけでも大違いです。それが二日も三日も違う可能性があるわけです。メールが何通も飛び交いました。私の危機感を講

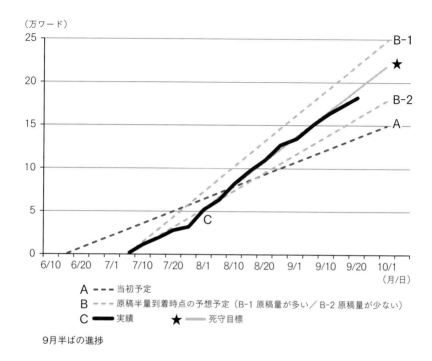

9月半ばの進捗

談社さんも理解してくださり、いろいろと確認してくれました。そして、15日に米国発、講談社さんは週末でも荷物が受け取れるが、運送業者が週末休みのFedExなので受け取るのはまずまちがいなく月曜の19日になってしまうことがわかりました。

　というわけで、18日に第35章を訳し終えるくらいまでペースを落とし、空いた時間は、下巻前半の読み直し・修正にあてることにしました。9月の10日ごろから20日ごろにかけ、訳出が計画を下回るペースに落ちているのはそういう理由です。

　19日の月曜日、届いた原稿をもらって八ヶ岳側に移動（原稿をもらったとき、下巻の3分の1、第22〜28章の訳稿も納めた）。移動の時間をかけてもひとりで山ごもりしたほうが仕事が進む、そのくらいしないとまにあわないと踏んだからです。金曜日かせめて土曜日に届いていればそのまま東京で作業をしたかもしれません。20日からあとは、一日4000

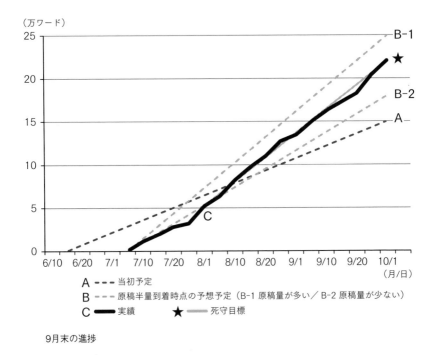

A	- - -	当初予定
B	- - -	原稿半量到着時点の予想予定(B-1 原稿量が多い／ B-2 原稿量が少ない)
C	———	実績 ★ ——— 死守目標

9月末の進捗

〜5000ワード以上。1週間強なら体力を使い切っても気力でなんとかなります。

たかが、されど、出典情報

　そうそう、最後の原稿と一緒に出典情報が届きました。「本文中のこの言葉は、これこれこういう雑誌のこの記事に記載されていたものだ」など、論拠を示す情報です。英語圏ではいわゆるエビデンスが重視されるので、翻訳書の原書には必ず出典情報が記載されています。論拠となる情報を示してくれた人を尊重し、その業績をたたえる意味もあります。

「いまになって届いてもなぁ」と思いました。

　ふつうはこのまま本になるというレベルの原稿が届くので、出典情報も入っています。ですから、当たれるかぎり原典に当たって訳します。

書籍に引用されている部分の前後を読むと、引用部分の言葉がどういう意味で使われているのかも理解が深まりますし、著者がなにを考えてそこを引用したのかなどもある程度は推測できるので、訳文も一段いいものにできるからです。ですがこのときは、ここまで出典情報なしで訳さざるをえませんでした。また、最後になって出典情報が届いても、出典を一つひとつ確認し、それに応じて訳を修正するだけの時間はありません。そういう二度手間をかけられる時間的余裕はなかったのです。

　山ごもりをしていた9月24日、講談社さんのサイトやアマゾンなどに書影が出て予約が始まりました。ふつうならゲラ修正も終わり、あとは印刷・製本とどうまちがってもまず遅れることがない段階まで作業が進んだ時点で発売日が決まり、予約も始まるものです。それが、まだ翻訳さえも最後までいっていない段階で予約が始まったわけです。世界同時発売という縛りがありますからね。とにかく、最後まで遅れず、こけずにがんばらないといけません。あらためて気を引き締めました。

9月30日：綱渡りのスケジュール調整

　気を引き締めたつもりではあるのですが、なんだかんだとプレッシャーで精神的にもぎりぎりだったのでしょう。こんな写真を撮ってブログに上げてしまいました。

　はい、カバーのスティーブ・ジョブズをまねた写真です。

　それなりに似てる気がするんですが、いかがでしょう。髪の毛（が少ないあたり）とかヒゲ（が短く全体にはえてるあたり）とか……。いや、まあ、似て非なるものであるのはよくわかっております。ヒゲだって、ジョブ

『スティーブ・ジョブズ』カバー写真のマネ

ズのヒゲは細かく作りこまれた無精ヒゲであり、私のは単に出歩かない
し、ヒゲを剃る時間があったら少しでも先に進めたいってことで伸びて
しまったホントの無精ヒゲですしね。ちなみに、服は似せようと思った
わけではなく、冬場の定番品を着ているだけです。こもっていたところ
は前述のように標高が1600mもあるので、9月でもこういうものを着て
いないと寒いのです。実は暖房も軽く入れていたくらいです。

　9月30日、朝イチで最後まで翻訳を進め、急いで東京に戻りました。
夕方には編集さんと会って、その後のスケジュールを打ち合わせること
になっていたからです。

　ふつうはゲラ修正のスケジュールを細かく打ち合わせるなどしませ
ん。ざっくりとした話は出ることがありますが、せいぜいそのくらいで
す。今回は、とにかくぎりぎりのスケジュールですし、少しでも短い期
間で終わるようにと上巻分と下巻分でゲラが入り乱れることになるの
で、打ち合わせて段取りをつけておかないとどこかでミスりそうです。

　ちなみに、9月、私が下巻の翻訳を進めている間に、講談社さんは私
が9月1日にお渡しした訳稿をもとに上巻の編集を進めています。表記の
確認、誤字・脱字のチェック、ブックデザインなど、出版社さんのほう
でやることもたくさんあるのです。ふつうは翻訳がぜんぶ終わってから
このあたりに入るわけですが、このときは、全体の期間を短縮するた
め、それを下巻の翻訳と並行して進める形になっています。

　9月30日の打ち合わせは、かなりややこしいものになりました。いろ
いろと理解をまちがえているかもと不安だったので、メールで確認して
もらうことにしました。案の定、かなりあちこち違っていました。やは
り、書いて確認するのは大事です。

　この打ち合わせのとき、下巻の3分の1ほど、29〜36章の訳稿を追加
で納めています。

10月：スティーブ・ジョブズの死

10月5日：供養は翻訳すること

　下巻訳稿の残り3分の1、第37〜41章はこのあと数日をかけて仕上げ、10月5日水曜日の夜、編集さんにお渡ししました。そう、本書冒頭でご紹介したスティーブ・ジョブズが亡くなる前日の夜、刊行前倒しで後工程に使える期間が半分になったと知らされた日です。

　そして、2011年10月5日（日本時間10月6日）、スティーブ・ジョブズが亡くなりました。亡くなったというニュース、私は、SNSの大騒ぎで知りました。すぐにテレビをつけ……ませんでした。『スティーブ・ジョブズ』上巻のゲラが届いていて、その修正作業に入っていたからです。刊行前倒しで、集中力が続くなら、それこそ、トイレに行く時間もなくしたいくらいせっぱ詰まっていましたから。

　前日に危ないという話も聞いていましたし、ああ、亡くなってしまったのかと事実だけ受け入れ、そのままゲラ修正の作業を続けました。

　そもそも、そろそろさすがに危ないからと引き継げるものは引き継ぐなど、いなくなる準備を進めてきていること、そういう状態であることをしばらく前からそれなりに知っていたという意味において、私は、世界で上位100人くらいには入っているはずなのです。『スティーブ・ジョブズ』の原稿に書かれているのですから。それを訳してきたのですから。ごく身近な方々ほどリアルではなく、あくまで文字で伝えられる範囲で、ではありますが。

　原稿でそのあたりを読んだときには、ああ、さすがにもう無理なのかと、正直、悲しくなりました。ですが、実際に亡くなったころには、もう、しかたのないことだと受け入れていたように思います。そして、冒頭の追悼文にも書いたように、『スティーブ・ジョブズ』上下巻を少しでもいい形で読者の方々に届けることが、私が彼に対してできる一番の

供養なのだと。ある意味、すごく細い糸ではありますが、つながっている関係者の端くれとして。

　テレビでこの件を初めて見たのは、夜7時のニュースでした。子どもたちは、世の中と同じように驚いたと言っていました。お父さんはどう思うかとの問いには、「いや、お父さんにとって驚きはないよ。この8月くらいまで、スティーブ・ジョブズがなにをしていたとか、本の原稿で知っているんだから」みたいに返しました。また、妻の反応は、「米国企業の経営者が亡くなった件がトップニュースになるとは、さすがね」と、「ああ、やっぱりそういうことだったのね」だったと記憶しています。『スティーブ・ジョブズ』がここまで無理なスケジュールになっているのはそういうことだろうと思っていたということです。

関係者のコメントを届ける

　ジョブズ死去をうけ、家族から声明が出ましたし、アップルのサイトにも追悼の辞が出ました。後任CEOのティム・クックからアップル社員全員に送られたレターも公開されています。そのあたりを急いで訳し、ブログに公開しました。英語が苦手な人にも読んでもらえればと思ったからです。

2011年10月6日（木）
スティーブ・ジョブズ追悼の辞などの日本語訳

前のエントリーでリンクをはった、アップル公式サイトにあがったスティーブ・ジョブズ追悼の辞や家族の声明など、ざっと訳してみました。11月発売の『スティーブ・ジョブズ』上下巻の仕上げも急がなければならない状態で時間がないので、少々粗くなってしまった気がしますが……それでも、英語が苦手という方

にも読んでいただければと思って急いで訳してみました。

■ジョブズの家族からの声明

スティーブが、本日、家族に囲まれて心安らかに死出の旅に赴きました。

仕事人としてのスティーブはビジョナリーとして知られていました。私生活では家族を大事にする人でした。スティーブが病と闘ってきたこの1年、多くの人が彼を想い、彼のために祈りを捧げてくれました。そのみなさんに心から感謝したいと思います。スティーブを送る言葉を一言寄せたいという方がおられましたら、ウェブサイトを用意しますので、そちらにお願いします。

私たちと同じようにスティーブを想ってくださるみなさんのお心やご支援に心から感謝します。多くの方が私たちと一緒に彼を悼んでくださるものと思います。悲しみに沈むこの時期、私たちのプライバシーにも配慮していただければ幸いです。

■アップルのサイトに上がった追悼の辞

アップルは、ビジョナリーを、そして、クリエイティブなジーニアスをひとり、失いました。世界はすごい人間をひとり、失いました。スティーブと知り合い、一緒に仕事をする幸運を得た我々は、敬愛する友人、そして、さまざまな刺激を与えてくれるメンターをひとり、失いました。スティーブは彼にしか作れなかった会社を遺してくれました。彼の精神は今後も永遠にアップルを支えてくれることでしょう。

スティーブに対する想い、思い出、お悔やみなどがある方は、電子メールでrememberingsteve@apple.comへお寄せください。

■後任CEOのティム・クックからアップル社員全員に送られたレター

みなさん、

今日はとても悲しいニュースをお知らせしなければなりません。本日、スティーブが逝ってしまいました。

アップルは、ビジョナリーを、そして、クリエイティブなジーニアスをひとり、失いました。世界はすごい人間をひとり、失いました。スティーブと知り合い、一緒に仕事をする幸運を得た我々は、敬愛する友人、そして、さまざまな刺激を与えてくれるメンターをひとり、失いました。スティーブは彼にしか作れなかった会社を遺してくれました。彼の精神は今後も永遠にアップルを支えてくれることでしょう。

スティーブのすばらしい人生を記念して、近いうちに、社内的になにかをおこないたいと考えています。さしあたり、スティーブに対する想い、思い出、お悔やみなどがある方は、電子メールでrememberingsteve@apple.comへお寄せください。

スティーブが帰らぬ人となったことに対する悲しみも、彼と一緒に仕事ができたことに対する感謝も、筆舌に尽くしがたいものがあります。我々は、今後、彼の思い出を胸に、彼が心から愛した仕事を懸命に続けてゆきたいと思います。

ティム

10月5日：刊行の前倒し！

『スティーブ・ジョブズ』翻訳刊行プロジェクトの最後はとにかくすさまじいの一言に尽きます。さらに、そこにいたる少し前から想定外のことが起きていましたし、都度、少しでもいい形になるようにと関係者全員で努力をしていました。すでに紹介していますが、そのあたりからふり返ってみたいと思います。

　翻訳書の出版で大きな節目になるのは訳稿の提出です。今回、もともとの予定では、8月が終わったら上巻分、9月末日には下巻分と、2分割することにしていました。

　この予定が狂ったのが、8月24日にジョブズがCEOを辞任したことをうけて第36〜41章を書き換える、新しい原稿は9月15日に送る、翻訳せずに待てとの連絡が9月7日に入ったからです。しかも、私の手元に新しい原稿が届くのは、時差と運送業者の都合により、19日の月曜日。これで、9月末日に下巻分をまとめて納品するのは無理になりました。無理なものは無理です。ここだけで3万7000ワードと分厚い本の半分くらいもあるのです。ふつうなら1.5ヵ月近くかかる量です。それを10日で仕上げるなど、無理に決まっています。

　そのかわり、19日に原稿が届くまでは訳出をペースダウンするので時間に余裕が生まれます。というわけで、19日に第36〜41章の原稿を受けとるとき、下巻の3分の1強、第22〜28章の訳稿を納めることにしました。分割はなるべく少ないほうがいいのですが、ぜんぶ最後にしわ寄せを持っていったら大変なことになりそうです。しかたありません。

　さらに、9月30日の金曜夕方、後工程の打ち合わせで編集さんに会うことになったので、そこでもまた、それまでに一応の仕上げがすんだ下巻の3分の1強、第29〜36章の訳稿を納めています。書き換えとなった第36章〜41章の大半は、そのあと週末も使って仕上げ、10月5日水曜日の朝10時に納めることになりました（実際にはまにあわなくて夕方5時

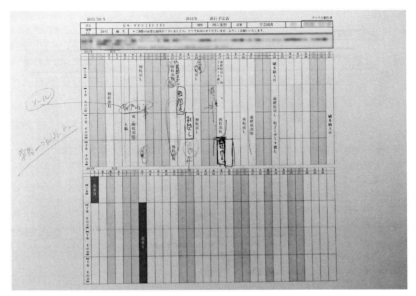

渡された工程表

にしてもらった)。講談社さんにしてみれば、下巻の7割方を受けとって
いるので、最後は少し遅くなっても大丈夫ということになります。私と
しても、それを狙って、ほんとはやりたくない下巻の3分割納品という
荒技を繰り出したわけです。

　そして、10月5日、刊行日の前倒し、それも、7週間後を4週間後にす
るというむちゃぶりがきたわけです。

　この工程表は、刊行前倒しをうけ、しばらく前に作ったものをあわて
て修正し、そこにさらに手書きで修正を加えたものと思われます。

　上巻の初校ゲラは届いています。戻しは11日。5日まで下巻の訳稿に
かかっていたわけで、当初計画の7日までわずか二日でゲラをチェック
するのは無理ですから。下巻は、9月19日に納めた分は10月5日にゲラ
をもらい（その1）、翌日、9月30日に納めた分をもらい（その2）、10月
5日に納めた分は11日にもらい、それを順次、なるはやで赤を入れて返
していく。そんな予定です。

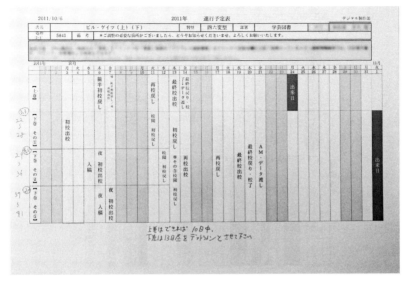

最終工程表

10月6日：死ぬ気でやれの鬼スケジュール

　10月6日、上巻のゲラ読みを進めているところに下巻のゲラが届きました。開封すると、ゲラの上に工程表らしきものが載っています。昨日もらったのに……って、え？　工程表が1段になってる。11月がなくなってる。なにこれ？　すぐ、講談社の編集さんに電話しました。

「ゲラ、いただきました。ありがとうございます。で、なんか変なものが同封されてるんですが、あれ、なんですか？」

「……実は、あのあと、もう1週間前倒すとまた米国から連絡が入りまして……」

「…………やるしかないんですよね？」

「はい……」

「……わかりました」

「時間がないので、再校ゲラはなしの初校のみにしたいのですが」

「それしかありませんよね」

ゲラ2往復はあきらめ、1往復にするということです。たしかに、もう1週間前倒しするならそこしか削るところはありません。最終微調整はできない。世界同時発売という縛りに対応するためにはしかたありません。初校ゲラでできるかぎりのことをするしかない。

　これは想定外でした。まさかここに来てこれほどの爆弾が落ちてくるとはというほどの。ワンツーパンチをくらってノックアウトという感じです。結局、後工程は7週間の予定を3週間まで縮めることになりました。

　ゲラ読みは、6日朝に始めて13日昼まで7日半でやれということです。「再校ゲラはなしの初校のみにしたい」と編集さんが言っているのに工程表に「再校」とあるのは、校閲や私の赤入れがきちんと反映されているかなどを編集さんが確認する作業があるからでしょう。私が再校ゲラまで赤を入れる一般的な流れでは、最後に、私のところには回ってこない念校と呼ばれる工程がありますから。

　これがいかにぎりぎりの計画であるのかは、「校了・データ渡し」から「出来日」までの日数を見ればわかります。ここがいわゆる印刷・製本・配本の期間です。10月5日に渡された2段の工程表ではここが2週間ありました。対して1段のほうは3日。製本ののりは乾くの？っていうくらいの時間しかありません。

　ふつう、本1冊のゲラ読みは少なくとも2週間くらいもらいます。1週間というのは、編集さんが「申し訳ないけどなんとかしてください」と頭を下げてくるくらいきついスケジュールです。今回はほぼ3冊分の分量になります。ふつうなら6週間はくださいと言うレベル、スケジュールがきつければ3週間くらいならなんとかしますというレベルです。それを7日半でやれ、ですよ（実際にはまにあわず、8日かかった）。死ぬ気でやれの鬼スケジュールです。でもそれは、校閲の人たちも同じ。編集さんだってのんびりしているわけじゃない。関係者全員、死ぬ気でやれの鬼スケジュールです。だったらやるしかありません。

　ほんとはゲラ読みと並行して、出典情報や人物一覧など、本文以外の

Ⓐ	Ⓑ	Ⓒ	Ⓓ	
9／19	（最後の原稿が到着）			
9／20	10○	4000	460（83％）	（残 96 ページ）
9／21	5	2000	465（84％）	（残 91 ページ）
9／22	14◎	5600	479（86％）	（残 77 ページ）
9／23	13◎	5200	492（88％）	（残 64 ページ）
9／24	11○	4400	503（90％）	（残 53 ページ）
9／25	11○	4400	514（92％）	（残 42 ページ）
9／26	10○	4000	524（94％）	（残 32 ページ）
9／27	10○	4000	534（96％）	（残 22 ページ）
9／28	12◎	4800	546（98％）	（残 10 ページ）
9／29	6	2400	552（99％）	（残 4 ページ）
9／30	4	1600	556（100％）	（残 0 ページ）

ラストスパートの実績表（ページ数は原稿のもの）

Ⓐ 月／日　　　　　　　　　○ 死守ラインクリア
Ⓑ 訳したページ数と自己評価　◎ 死守ライン以上クリア
Ⓒ 訳したワード数
Ⓓ 到達したページ数

訳稿を作るはずでした。そんなことをしている時間なんてありません。本が出た後に準備をしてネットで公開。それが限界でした。なにせ本文だけでもほんとにまにあうのかという状態なのですから。そこがまにあわないのは許されないのですから。後工程7週間を3週間に縮めるというのはそのくらいの無理なのです。

　翻訳者がかかわる部分で大変なのはやはり最初に訳文を作るところであり、ゲラ読みはあまり無理せず進められるのが基本で、ふつうは少し楽になります。ですから、訳し終わるまで体力がもてばいい、いや、訳し終わるところで体力が使い切りになるように無理を調整するというイメージで進めてきていました。それが、ここにきて想定外の大波乱です。毎日10時間以上、食事とトイレ以外は休憩もなしに集中して読み、赤を入れていく。楽になるどころか日に日に疲れがたまり、体力の二番底まで行きました。ゲラ読みに入って数日で、吐き気と頭痛をがまんし

ながらというていたらくです。訳出中は、仕事から頭を解放しようというのもあって、ビール1缶を晩ご飯のとき飲んでいましたが（一番の理由は単純に好きだからなわけですが）、それも飲めなくなりました。飲んだらまちがいなく吐くからです。

最後まで「質」をあげていく

脳内に碇シンジが現れる？

　ゲラ読みは集中力の勝負です。誤字・脱字はもちろん、同音異義語のまちがいはないか、論理の乱れはないか、誤訳の可能性はないか、さらには、もっといい表現があるんじゃないかと頭はフル回転しています。目を皿のようにして読んでいるので、目も疲れます。気づくと息を詰めていることがあります。そのくらい集中するのです。イメージとしては、第一志望の大学の入試を受けているような状態だと思っていただければいいでしょうか。

　大学入試のつわものといえば、やはり、東大を受ける人々でしょう。はい、私も受けました。18歳のときに、当日、ベストが出せるようにと睡眠も十分に取って体調を整え、4.5時間×2日の試験を受けました。くたくたになりました。それを、52歳のおっさんが、体力使い切った状態から、10時間×8日やるのです。半ばから吐き気がするのも当たり前です。

　行き詰まったりして気分転換に入ろうかなと思ったとき、頭の中では「あきらめちゃダメだ。あきらめちゃダメだ」という声がくり返し響いていました（『新世紀エヴァンゲリオン』で碇シンジがくり返した「逃げちゃダメだ」と同じように）。

　こういうとき、時間に余裕があるなら気分転換をするほうがベターです。必ずしも休憩である必要はなく、ほかの仕事をするのでもぜんぜん違います。頭の使う部分が違うのでしょう。そんなことがあるから、ふ

だんは、1冊分のゲラ読みに2週間ほど時間をもらい、ほかの仕事と行ったり来たりしながら進めるのです。

　でも今回は、とにかく時間がありません。それでも、ほんの1分2分でも気分転換したほうがいいかもしれません。実際、じゃあ、トイレに行ってこよう、お茶の用意をしようと、ほんの少しだけ休憩することもありました。でも、つらい、休みたいと思うたびに休んでいたら時間が足りなくなります。1分、2分も、10回、20回とくり返せば、10分から40分になります。ばかになりません。1分だけと思ったのに気づいたら10分たっていたなんていうのもざらにあります。もともとつらくて休みたいのですから。特に後半、疲れがたまってきたあたりでは辛抱が足らなくなっていて、休みたいとずっと思っているに近かったりするのですから。

　どうなることかと思いましたが、本当にぎりぎりでなんとかなりました。なんとかなった理由に、年の割に体力があるほうだというのもあるかもしれません。私は30年前、フィギュアスケートの選手をしていました。15年ほども選手生活をしましたし、最後は、一応、全日本選手権にも出るくらいでしたから、常人離れした体力をもっていたわけです。30年もたってだいぶ衰えてはいても、同年代の中では体力があるほうだったはずです。

「何も足さない、何も引かない」

　このころ、私もぎりぎりでしたが、担当編集さんもぎりぎりで、このころは会社に泊まり込みだった、しかも、ソファまで動くのさえおっくうなほど疲れていて、そのあたりの床に倒れて寝込む状況だったと聞いています。とにかく、あっちもこっちもぎりぎり。編集さんと私のやりとりも必要事項をメモして送るのが精いっぱいで、相手がそれをどう受け取るかまで気にしている余裕などありません。私も、かなりぶしつけな言い方で思うことをばんばんぶつけました。いい本にするために必要だと思うことを書いただけなのですが、編集さんに不満を抱いていると

いう取り方もできるメールになってしまったものもあります。そのあたり、気を遣っている余裕がなくて。

　さすがに心配になったのか、最後の疑問点リストをいただいたメールには次のような趣旨のことが書かれていました。

　　厳しい条件のなか、レベルの高い翻訳を希望どおりのスケジュールで上げてもらったし、臨機応変な対応を迅速にしてもらって助かった。おかげで、すごくいい仕事になったと思っている。

　　それだけに、翻訳作業について思ったことはどんどん伝えてほしいし、こちらも、感じたことや思ったことをそのまま伝えていくのが大事である。仕上がりをよくするにはそうするべきだ。

　　訳文は、理路整然とまとまっていて読みやすい半面、もう少し言葉を足したほうがわかりやすいと思う箇所もあった。翻訳者のなかには「原書原理主義」的な人もいるが、今回の編集方針としては、文意から大きく逸脱しないのであれば「読者の理解のために言葉を補足する」のはありだと考えている。

　　これまでの編集側の指摘には文意がまちがっていたものや難解なものもあったとは思うし、その点は申し訳ない。もっと丁寧に進めればよかったが、そうするには時間が足らない。今回の疑問点リストにも「なんだそれ?」と思うことが含まれているかもしれないが、よい本にするためには、編集者として疑問に感じた点は伝えなければならないと考えた結果であり、他意はない。

　いらぬ気を遣わせてしまったようです。私からは、考え方は同じであり、文句や不満があるということではないとお返事しました。

　このメールで指摘されている「補足」、実は、私はよくやるほうです。補足というより、原文で言外に語られていることを訳文では明示する、ということなのですが。

　米国では常識でだれもが知っているけど日本では知られていないことがあった場合、米国向けの『スティーブ・ジョブズ』には書かれていません。その常識のギャップは日本語版を作る際に埋めないと、米国の読者には伝わることが日本の読者には伝わらない本になってしまいます。それが「原文で言外に語られていることを訳文では明示する」です。逆に、「原文で明示されていることを訳文では言外に押し出す」というのもよくやります。

　補足という言い方をするとなにか足しているように聞こえるので、翻訳ではすべきでないという意見の人もいますし、私も、足してしまうのは翻訳ではないと考えています。ですが、原文読者が当然に持っている前提知識だから書かれていないけど、訳文読者にその前提知識がないことであれば、きちんと書かないと、伝わるはずのことが伝わらない、言い換えれば、「引いてしまった」翻訳になってそれはそれでだめだと思うのです。

　たとえば地名。

　原著になにげなく出てくる地名が日本の読者にはなじみがないなんて、よくある話です。原著の著者は、自分の本を読む人ならここは知っているはず、と考え、地名だけぽんと出しているわけですが、その本を翻訳するというのは、その著者が想定した対象読者とは異なる読者層に届けようとする行為なのですから、原著者の想定が外れてしまうのです。

　そのとき、それがどこなのか、どういう場所なのかを補足するのは、「足す・引く」行為なのか、それとも、「足さない・引かない」行為なのか。

　一般に、これは、「足す・引く」行為とされているようです。でも、私は、これは「足さない・引かない」翻訳だと思っています。それがどこなのか、どういう場所なのかは、原文に書かれていることを訳出しただけだ、と。暗示的に書かれていること、ですけどね。また逆に、そこを「訳出」しないのは訳抜けだとも思います。

自分が文章を書くケースを考えてみましょう。

　想定読者が常識として知っているはずのことなら、わざわざ書かないのが基本ですよね。そうでなければ、なにからなにまで事細かに書かなければならなくなってしまいます。それこそ、この段落なら、「想定」とはなんぞや、「読者」とはなんぞや、「常識」とはなんぞやというところからして。そんなことをしていたら、言いたいことが埋もれてわけのわからない文章になります。ですから、想定読者が知っているはずのことは書きません。これが、小学校の低学年向けだったら、想定読者とはなんぞやとか、そういうところから書かなければならないわけですが（だれに読んでほしいのか、それを考えて、その人だったら、このくらいは知っているはずと思うことは……みたいに？）。

　言い換えると、どんな文章も、明示的に書いて説明していることと、読者はこのくらい知っているはずと著者が考えていること（だから、明示的に書きはしないという選択をしたこと）でできているわけです。

　いや、書かれていないことは文章を構成する要素のはずないじゃんと思う人もいるでしょう。でも、明示的に書かれていないことがわからないと、つまり、その文章が前提としている知識がないと、読んでもなにがなにやら理解できませんよね。そういう前提知識から順に説明されればわかるはずなのに。

　地名に話を戻し、具体的に考えてみましょう。

　著者は、「ああ、あそこね」と読者が思うはずと考えて書いているわけです。それが、原文読者が受け取る絵です。ところが、翻訳で同じように地名だけをぽんと提示したら、訳文の読者は「それ、どこよ？」と思ってしまうでしょう。これでは、受け取る絵が、原文と訳文で異なってしまいます。訳文の読者も「ああ、あそこね」になるべく近いものが受け取れるようにするには、それがどういう場所なのか、文脈に即した説明を入れる必要があります。原著の著者も、訳文の読者を想定して書けばそうしたはずです。そうすれば、「ふーん、そういうところなんだ」くらいにはなりますから。

　結局、この場所、知ってるよね？という判断が形になったのが、地名だけをぽんと出す原文であり、前提にしている知識までセットと考えて訳出すれば、どういう場所なのかの説明が表に出てくるわけです。つまり、説明までするのが「足さない・引かない」翻訳。その説明のない訳文は、「引いちゃった翻訳」、訳抜け、と言えるでしょう。

unagi sushi をどう訳すのか？

　逆に、「ここ、知らないよね」と著者が提示するケースもあります。その場合、翻訳で説明を入れてしまうのは、「足しちゃった翻訳」、勝手訳です。原文の読者は「それ、どこよ？」と思うはずなのに、訳文の読者は、「ふーん、そういうところなんだ」になってしまうわけですから。

　逆に、原文読者はよく知らないはずだけど訳文読者はよく知っているはずという情報もあります。その場合、著者は、「知らないかもしれないけど、こんなところがあって……」とか書き、原文読者は「ふむふむ、そうなんだ」と受け取るわけですが、それをそのまま訳すと、訳文読者は、「んなわかりきったこと、なにをくだくだ書いてるんだ」と思ったりするわけです。たとえば英日翻訳で、「お寿司ってものがあって、お酢をしませたご飯を小さな直方体に成形し、そこにお魚などを薄く切ったものを載せるんだけど、これが基本的に生で……」なんて書かれていたとき、そのまま訳して日本語版にしたら、日本の読者は「はぁ……？」って思うでしょう。理由は、訳出しちゃいけないところまで訳出してしまったから、言い換えれば、「足してしまった」からです。このような場合、話の展開上、触れておくべきところ以外は言外に押し出し、あくまで暗示的に書くにとどめる、とするのがまっとうな翻訳だと私は思います。

　今回、ジョブズがホテルオークラの寿司屋で好物の“unagi sushi”を食べたとありました。英語圏の人は、大半が「なんかよくわからんけど、おいしいのね？　ジョブズは好きだったのね？」と読むでしょう。日本食好きは、「ああ、あれね」かもしれません。日本人は、けっこうな割

合が、「ホテルオークラでうなぎの寿司なんぞ出てくるのか？」と思う
でしょう。うなぎの寿司、私は好きなんですけど、ゲテモノネタであ
り、回らない寿司屋では出てきませんから。だから日本語版は「穴子」
と現実に合わせてあります。

定冠詞はどう訳す？

　編集さんのメールに話を戻します。あの中には、「すでに文章内に一
度登場した話が繰り返される場合には『前述のとおり』『すでに述べた
ように』といった文言を加えたほうが読者に親切では？」という指摘も
ありました。

　この「前述のとおり」「すでに述べたように」などは英語だと定冠詞
で表されていたりします。ですから、これも、補足ではなく、あくまで
定冠詞をどう訳すのかという問題です。ですが、定冠詞をいちいち訳出
するととてもうるさくなります。うるさすぎてなにがなにやらわからな
くなるほどに。ですから、どのくらい訳出してどのくらいなしですませ
るのか、最終的にはバランスの問題になり、人によって意見が異なる部
分だったりします。

　そもそも私の訳文は、矛盾することの多いさまざまな条件をバランス
よく満たすように調整して組み上げていくというやり方で作っています。合理的に組み上げていくので「理路整然とまとまっていて、非常に
読みやすい」と感じていただけたのでしょう。

　続けて「もう少し言葉を足したほうが、わかりやすいのになぁ」とい
う感想が出てきたのも、私からすると、そう思われるだろうなぁ、とい
うところです。同じことが伝わるのであれば、文章は短いほうが読者の
負担が小さくなると思うので、「さまざまな条件」のひとつに「なるべ
く短くする」があり、あちこちぎりぎりまで削っているからです。

　ですから、このままでも悪くないけど、もう少し言葉を足したほうが
いいんじゃないかと編集さんが思われたのであれば、私にとっては、狙
いどおりの訳文ができていたと言えます。ふつうのスケジュールであれ

ば、そこから、「ここはさすがに」と指摘を受け、少し言葉を足すなどして完成形に持っていくわけです。逆にそういう言葉を多めにしておいても、あって悪いことはないになってしまって、「多すぎるから削りましょう」という指摘はまずありません。ですから、訳文を作る際には、ちょっと少なすぎるかなというくらいにしておかないといけないわけです。

　ちなみに、私の訳文は、かなり短いほうになります。『スティーブ・ジョブズ』も原文が22万ワードで一般的には63万字くらいの日本語になるはずなのですが、私の訳文は講談社さんに提出した段階で58万字弱と1割近く短くなっています。その後、表記を講談社さんの基準に合わせて漢字がかなり増えたので、さらに短くなり、最終的には、おそらく、57万字強になったのではないかと思います。

　短い訳文にするポイントは、英語の構造に引きずられず、日本語の特質をうまく生かすこと。たとえば、英語は一文ごとに完結するのに対し、日本語は前後の文とつながって意味をなすという特徴があります。ですから、英語を一文ずつ訳すのではなく、前後の文との関係を考え、前後があるからわかる形に訳すわけです。このあたり、詳しくは、後ろの章で紹介します。

超スピードで品質は維持できるのか？

　訳出をスピードアップするにあたり、どういうリスクがあると想定したのか、それに対してどういう対策を講じたのかなどもご紹介しておきましょう。

　一番危ないのは、さまざまな意味で手抜きになってしまうことでしょう。急がないとまにあいませんが、急ぎすぎてノーマルな速度範囲を逸脱するほど速くすると手抜きになって品質が落ちてしまいます。

　この点については「なるべく気をつけた」としか言いようがありません。もともと、ノーマルな速度範囲を逸脱しないスピードで作業時間を延ばし、分割納品で後工程と時間を分けあえばなんとかなると踏んでス

タートしたわけです。なおかつ、それでスピードが足らなければ共訳にするなり方法を考えましょうという安全策も講じてありました（めいっぱい集中することでスピードアップを図るが、それ以上の無理はせず、あくまで結果としてのスピードで進めるということ）。

　それでも、総体的なスピードを落とせないという焦りや、次に挙げるような疲れによるものなど、ミスや微妙な品質の低下がないとは言い切れません。

　心配もしたし、かつ、正直なところ、絶対に影響が出ているはずだと思うのが、「疲れによる品質低下」です。翻訳の場合、まず、原文の意味やイメージを把握します。そのあと、それをぴったりな日本語で表現するわけですが、その際、（同意語辞典などの助けも借りながら）連想ゲームのようなことをして、いろいろなバリエーションの中からこれがいいと思うものを選びます。疲れがたまれば頭の働きは落ちるはずで（落ちたかどうかを判断する能力も落ちるので、頭の働きが落ちたと本人は気づけない）、頭の働きが落ちれば連想ゲームで思いつく範囲が狭くなったりします。あと一歩広がればいい表現を思いついたかもしれないのに、そこに到達できずに終わってしまうわけです。この影響は、あったはずです。意識はしていませんが（というか、意識しようにもできない）。

　もちろん、「疲れによる品質低下」があるはずだと思う分、連想ゲームで「こんなものか」と思ったところから、もう一歩、先にゆこうと意識しつつ作業を進めました。そうすることで少しでも影響を小さく抑えようとしたわけです。それでも、着想なんかと一緒で思いつけば簡単なことが思いつかないときは時間をかけても思いつかないわけで、多少の影響は出ているはずだと思います。

　この連想ゲームをやらず、最初に思いついた訳語ですませてしまえばスピードは格段に上がります。狭い範囲の読者を対象とする産業翻訳ではこの範囲で作業できてしまうケースもありますが（手慣れているものならそれで十分な質に仕上がる）、幅広い読者を対象とする今回のよう

84

な案件でそれをするのは完全な手抜きになります。これが、一般向け書籍における「ノーマルな速度範囲を逸脱するほど速くすると手抜きになって品質が落ちる」なわけです。

　あと、確実に影響ありなのが、仕上げの仕上げです。これで仕上がったと思ったところから、再度、全体を通して読み直し、細かいところをちょこちょこ修正するという作業をいつもするのですが、今回、その時間は取れませんでした。木工で言えば、全体を組み上げ、組み合わせた部分のでこぼこなどはなくして仕上げたけど、最後の最後、目の細かい紙やすりを使い、微妙に気になるところを少しずつ削って仕上げるところまではできていないというのが正直なところです。ぱっと見、違いはわからないけど、ところどころ手触りが微妙に違うみたいな質の違いはあるはずだと思っています。

　この仕上げの仕上げ、ふだんは、出版社に訳稿を提出する前と、最終チェックとなる再校ゲラの2回、やるようにしています。今回は、スケジュールの関係で2回ともあきらめるしかありませんでした。

　そのほか心配なのが単純ミスです。

　赤字を入力する際にミスが出ていないかも心配ですし、誤字・脱字の見落としも心配です。人間というのはミスをする生き物ですから。特に初校は、編集さんをはじめ、自分以外の人が読んでわかりにくいと思った箇所を修正するなど、かなり多くの赤を入れることになります。前後入れ替えに言葉を削ったり付け加えたり……ごちゃごちゃになることもあります。ここで入力ミスがあってもふつうなら再校ゲラで修正できるのですが、今回は最後の出版時期4週間くり上げで再校ゲラがなくなり、その確認ができませんでした（再校ゲラがないことを前提に、ミス防止として、書いているうちにごちゃごちゃになった部分は、欄外に全体を書きなおして赤字とするなど、できるかぎりの対策はした）。

　ごくふつうの流れになった案件でさえ、あとあと、「あっ……」と思う誤字・脱字が残っていることがあります。私の実体験で一番は「もろちん」です。かな入力だと「ろ」と「ち」は右手と左手の小指なので、

タイミングが微妙にずれて入れ替わることがありえます。この誤植を
SNSで見て爆笑し、念のため過去の仕事を検索してみたら1回やらかし
ていて、ゲラで直しててくれよと刊行された本を確認したら残っていた
という……。誤字・脱字をみつけるプロである校正さんも含めて複数の
人がくり返しチェックしても、見落とすときは見落とすのです。そし
て、見直しの回数が減れば、その分、見落としの可能性は高くなるのが
道理です。

　あと、それこそ、最初に原文を読みまちがってしまったなんてケース
も、読み直しの回数が少なくなるほど、急ぐほど、残りやすくなりま
す。日本人が日本語の本を読んでも誤読というのはふつうにあります。
プロ翻訳者は誤読が少ないのが当たり前ですが、あくまで「少ない」で
あって誤読をしないわけではありません（人間ですからミスは必ずあ
る）。ただ、そういうところは流れがおかしくなっていたりして、あと
から落ちついて読み、前後関係などを考えてゆくと読みまちがいに気づ
くことが多いものです。今回はいつもよりも読み直しの回数も少なけれ
ばそこにかけられる時間も短かったので、そういうミスが残っていない
かちょっと心配です。

著者の修正作業も同時進行

『スティーブ・ジョブズ』は世界同時発売なので、我々に翻訳用の原稿
が送られたあと、著者は著者で詰めの作業をおこなっています。つま
り、原稿に修正が加えられるわけです。修正のうち、これは翻訳版にも
反映してもらわないとと著者側が判断したものは、メールや手書きで修
正した紙原稿、スキャン画像という形で連絡が来ました。

　こういう修正は、連絡をもらうたび、訳稿に反映しました。あとから
修正するためには、その前後がどうなっていたのかも確認しなければな
らないし、訳文も、変更点のみ書き換えればすむとはかぎらず、場合に
よっては前後の複数文も書き換えなければならなくなります。手間も暇
もかかるのです。ですが、世界同時発売を実現するにはどうしてもこう

いう作業が必要になります。

　なお、原本原稿の修正すべてが知らされるわけではありません。こ
れ、どっちでもいいだろうと思う修正や、英語と日本語の言語的差異か
ら日本語には手を入れる必要がない程度の修正も連絡があった半面、ど
うしてこれは連絡してくれなかったのだろうと思うようなものもありま
した。

　そのひとつでは、刊行後、大誤訳だ、いったいなにを考えて訳したの
かとたたかれてしまいました。

「インテルチップを使ったiPadもありえた」とした上で、そうならなか
った理由を述べた部分です。日本語版は以下のようになっています。

　　　インテルチップを使ったiPadもありえたとオッテリーニは考えてい
　　る。問題は価格だった。
　　「そうならなかったのは、基本的に経済面が原因なのです」
　　　製品のあらゆる側面をコントロールしたい、それこそシリコンから
　　肉体にいたるまですべてをコントロールしたいというジョブズの願い
　　── いや、強迫観念というべきだろう ── が現れた一例だとも言え
　　る。

　これに対し、「デザインの決定権をだれが持つかという大問題がピック
アップされているのに、そこが抜け落ちているから次とつながらず、
わけのわからない文章になっている。大誤訳だ」と言われたのです。

　米国で出版された本の当該部分を見ると、次のように書かれていま
す。

According to Otellini, it would have made sense for the iPad to use Intel chips.
The problem, he said, was that Apple and Intel couldn't agree on price. Also,
they disagreed on who would control the design. It was another example of
Jobs's desire, indeed compulsion, to control every aspect of a product, from the

silicon to the flesh.

　前述のような指摘を受けるのももっともですよね。
　なのですが、私の手元にある「翻訳用原稿」は次のようになっている
のです。

According to Otellini, it would have made sense for the iPad to use Intel chips. The problem, he said, was that Apple and Intel couldn't agree on price. "It didn't happen mainly because of economics," he said. It was also another example of Jobs's desire, indeed compulsion, to control every aspect of a product, from the silicon to the flesh.

　ここ変えたよという連絡がなければ反映のしようがありません。
　さらに言えば、こういう変更を刊行後に米国版でみつけたとして、そ
れを増刷時、日本語版に反映することも実はできません。この本に限ら
ず、翻訳出版というのは「提供された翻訳用の原稿をもとに日本語版を
作る」ことが契約に定められているので、勝手な改変は御法度なので
す。どうしてもとなれば、事前に書面で承諾を取るなどの手続きが必要
になるでしょう（本当のところ、どういう手続きが必要なのかは契約に
記されているはず）。日本側だけでなく、著作権者側にもかなりの手間
をかけることになるので、これはやらないのがふつうです。

　というわけで、質への影響がなかったとは言えませんが、その影響を
小さいレベルに抑え込むことはできたはずだと思っています。横軸に時
間、縦軸に品質をとってグラフを描くと、最後はいわゆる漸近線みたい
にわずかずつしか上がらず、時間がかかる割に品質の向上はごくわずか
となります。今回は、世界同時発売を実現するため、この最後の部分を
カットするとともに、それによる悪影響を少しでも抑えようとできるか
ぎりの工夫はした——そういう感じなわけです。

翻訳やそれこそ執筆においても、完璧ということは、正直、ありえません。人間がやる以上、なにがしかのミスが発生します。あとは、そのミスをいかに少なく抑え、少しでもいいものに仕上げるかが、我々制作関係者の課題なのだと思います。

いよいよ世界同時発売！

10月13日：最終チェック終了

3ヵ月半続いた全力疾走もいよいよ大詰め。最後となる下巻の初校ゲラは、10月13日の昼にバイク便で返送してくれ、と言われていました。まにあいませんでした。チェックが終わり、バイク便にゲラを託せたのは、夕方6時。この遅れは、きっと、編集さんが睡眠を削ってつじつまを合わせてくれるんだよなと心の中で頭を下げつつ……。

バイク便を見送って机に戻り、ツイッターに書きました。

「終わった〜！」
「おめでとー」
「ついにっすか〜」
「今日は祝杯だね〜」

仲間から次々に返信がきます。でも、祝杯は何日かおあずけでした。だって、飲んだら吐きますよ。飲まなくても吐きそうなんですから。

妻も帰宅し、家族そろって晩ご飯を食べ始めたとき、長男が私を見て言いました。

「お父さん、ようやくいつもの顔に戻ったね」

最後のゲラを返せば、私がやることは基本的にありません。編集さんから多少入る確認の問い合わせに対応するくらい。なので、録画しておいたスティーブ・ジョブズの追悼番組などを見ようとしたのですが、気

づくと眠っていて、何回見てもなにがなにやらさっぱりです。

　ともかく、短距離走のペースでマラソンを走りきり、ついにゴールしたわけです。半端ない達成感があっただろう……って思いますよね？私もそう想像していました。でも実際は、そんなふうにはなりませんでした。なんかもう、現実感がなくなっていたというか。思ったことと言えば、「時間を気にしなくてよくなった」「疲れた」「寝たい」「気をつけないとここから倒れるかも」とそんなことばかりでした。

　達成感とか感慨とかは、心と体に余裕がないと感じられないもののようです。

10月6日：刊行前からベストセラーに

　ジョブズの死去は夜7時のNHKニュースで二晩連続のトップニュースになったほど注目されました。それもあってか、『スティーブ・ジョブズ　Ⅰ・Ⅱ』としてリリースされた2冊はアマゾンなどの予約がすごいことになり、講談社さんも、異例の刊行前増刷に踏み切りました。Ⅰの予約だけで2万5000部ほどに達していたと聞いています。ノンフィクションとしては、すでにベストセラーと言われる部数です。

　ほかの出版社さんからも、スティーブ・ジョブズやアップルに関する本を増刷するという連絡が次々入ってきます。ジョブズ特集で過去の本も集めて展示するなどをあちこちの書店さんが企画してくれたりしたようです。

　私がゲラの最終便を出してから10日あまり、10月24日がⅠの発売日でした（ふつうは、ゲラの最終便から発売まで1ヵ月くらいかかる）。当日、ツイッターを見ていると、「出社途中に買えた〜」「買えたってツイートを見たから昼休みに近くの本屋に行ったんだけど、まだ入ってないって言われた(T_T)」など、あっちからもこっちからも、うれしい報告と悲しい報告が上がりました。こうなったのには理由があります。

　ふつうは発売日まで余裕をもって印刷・製本をすませ、「取次」とい

う書籍の問屋のようなところを経由して、事前に全国の書店へ本を届けます（配本という）。ですが『スティーブ・ジョブズ』は本の完成そのものが発売日当日というぎりぎりのスケジュールでした。その条件で、全世界同時発売という契約を守るため、発売日に製本所からトラックで一部書店に直接届けるという異例な形になってしまったのです。本そのものが当日にならないとできなかったのですから、午後や夕方にしか届かないところも当然に出てきますし、九州や北海道などの遠隔地には、翌々日にしか届きません。

　ちなみに、新宿紀國屋書店では発売から二日で800冊あまり売れたと聞いています。平均して2分に1冊を超えるペースです。

刊行後のプロモーション

　ふつう、刊行後に翻訳者の仕事はありません。書店でめだつところに置いてもらう、新聞などに広告を出す、書評を期待してインフルエンサーに献本するなどのプロモーションは、基本的に出版社がやるからです。著書なら刊行イベントがあったりしますが、翻訳書はまずありません。

　そういう意味でも『スティーブ・ジョブズ』は異例でした。あっちこっちのイベントや番組に呼ばれましたし、取材もたくさんあったのです。いずれも著者が呼べないのならせめて翻訳者をということでしょう。新聞、雑誌にラジオ、ケーブルテレビ。アップルファンの方々のイベント。

　刊行前に体力を使い切っていますから、刊行後、私は、とにかく体を休めるようにしていました。翻訳の仕事はなるべくしない（産業系の仕事が飛び込んできたらそれだけはなんとかする）。次の本には取りかからない。昼間も録画しておいたジョブズの追悼番組を見るくらいしかしない。いや、見ようとしかしない、と言うべきかもしれません。オープニングの音楽が終わるころには寝落ちしていて、番組の内容なんてまるで頭に入りませんでしたから。

そんなふうに、ただくたくたと過ごしていて、講談社さんから「××日の××時、××に行ってください」と言われたら出かけていく。そういう話がぽろぽろとあった。そう記憶していたのですが、あらためて記録を確認すると、たくさんの話が入り乱れていて、当時を再現するのが難しいほどです。取材もたくさん受けていて、原稿の確認も乱れ飛んでいます。ぼんやりしていたのに、よくぞ、約束をすっぽかす失敗をせずにすんだものだと思います。

アップルファンの方々のイベントでは「井口さん、アップル製品をお持ちじゃないんですよね」「あの本、Windowsのマシンで訳されたんですよね」とずいぶんいじられました。マシンは、独立してフリーランスになったとき、互換性の問題を避けるためWindowsにして、以来、ずっとWindowsです（いまも、である。仕事用のツールなど、蓄積があって変えられない）。iPhoneは欲しかったのですが、当時はソフトバンクしか取り扱いがなくてあきらめざるをえませんでした。山荘のあたりだとまともに電波が入るのはドコモくらいだったからです（いまもドコモとauしか使い物にならない）。iPhoneの取り扱いが広がったいまは、家族全員がiPhoneですし、さらに、居間ではiPadを主に使っていますし、AirPodsにApple Watchも使っているしと、コンピューター以外の大半がアップル製品になってしまいましたが。

「世界同時発売なんて二度とやらない！」
『スティーブ・ジョブズ』の翻訳は、あれ以上は不可能だというくらいいい結果を出せたと思っています。もちろん、たっぷりの時間をかけ、磨きに磨いたケースと比べればもう一歩のところが残っているはずですが（だから、ふつうに時間のある案件では時間をもっともらう）、でも、「7月頭スタートで11月末に世界同時発売を実現する」という条件のもとではベストな形にできたと思うのです。また、こう言うとなんですが、ほかの人が翻訳するよりもきっといいものにできた、とも。

講談社の担当編集さんおふたりからも、刊行後の打ち上げで「いつ破

綻してもおかしくない強行スケジュールの中、恐ろしいくらいに理想的な仕事ができた」と言っていただきました。

　私もまったく同じ感想です。初めて組んで、よくぞここまでできたな、と。編集さんおふたりも私も、できるかぎりいい本にしたいと方向性が一致していたからでしょう。

『スティーブ・ジョブズ』が大変だったのは、一にも二にも世界同時発売だったからです。

「世界同時発売」……なんかかっこいい響きですよねぇ。私も、ノンフィクション書籍の翻訳をするようになったあと、「一生に一度くらいそういう仕事もしてみたいかなぁ」なんてぼんやりと思っていました。そして、そういうチャンスが巡ってきて実際にやってみた結果、「一生に一度で十分だ」、いや、「二度と御免だ」と思ってしまいました。きつすぎます、はい。

　最後、赤を入れたゲラを全部講談社さんにお渡ししたあと、しばらくは、気持ち悪くてたまらない状態になっていましたし、なんだか空気が足らない感じで深呼吸しても空気が吸えた気がしないしで、いろいろまずい感じになっていました。10日ほどくたくたと寝て過ごしても、まだ、外でご飯を食べるとおなかを壊すなんてていたらくでしたし。

　こういう無理をしたときになにが困るって、一番困るのが、「やればできるんじゃん。次回もよろしく」みたいな話だったりします。こんな仕事のやり方、毎年やっていたら、比喩でなしに死ねます。

　産業系の翻訳だと、無理を必死でがんばったあげく、心ない発注者に「なんだ、やればできるじゃん。ごちゃごちゃ言わずさっさとやればよかったのに」みたいなことを言われたって話をそこそこ聞きます。出版界では幸いそうならず、たくさんの編集さんから「二度と無理というレベルの話だったことはわかってますから」と言っていただきました。

　そんなわけで、終わった直後にも一生に一度で十分、二度と御免だと思いましたし、その後も、何年か燃え尽き症候群のようになってしまったこともあり、その思いは強くなることこそあれ、弱まることはありま

せんでした。

　なのに、なぜか、2023年、また、世界同時発売の仕事をすることにしてしまいました。同じくアイザックソン著の『イーロン・マスク』です。すでに請けていた仕事の後ろ倒しをお願いするなど、あちこちに頭を下げてまで。

　喉元過ぎれば熱さを忘れ……ていません。記憶力が悪いことにかけては自信がある私でさえ、『スティーブ・ジョブズ』は熱すぎて、とても忘れられません。ニュートラルに表現するなら「歴史はくり返す」ですが、それでは、裏にあるやる気や熱意を感じることができません。ニュートラルはどうしてもヒトゴト感が漂いますから。ここはやはり、自虐的に「バカにつける薬はない」でしょうか。いや待てよ。『スティーブ・ジョブズ』にちなみ、"Stay hungry. Stay foolish"、「ハングリーであれ。分別くさくなるな」に引っかけるべきか。そうだ、そうだよな。

　……と、翻訳者らしい病気が出たところで、一段落としましょう。ほうっておくと、同意語辞典とかまで引っぱりだして、ああでもない、こうでもないといつまでも話が続いてしまいます。

第 2 章

出版翻訳者の勉強部屋

出版翻訳の世界に足を踏み入れる

会社員時代、「エンジニア」として英語を学ぶ

　私はもともと理系人間で、工学部を卒業し、研究員として出光興産に就職しました。大学の卒業論文は高速循環流動層という化学反応装置に関するもので、就職後の配属は石炭燃焼のグループ。そして、大ラッキーなことに入社2年目にして米国の大学院に留学させてもらえることになりました。

　実は出光興産の中央研究所には、不文律ながら留学の条件が三つありました。

- 博士課程に留学すること
- 一定の研究実績があること
- 既婚であること

　私はどれひとつとして満たしていません。ふつうなら留学などありえないのですが、いろいろとラッキーが重なって行かせてもらえることになったのです。

　まず、所属研究室で、ちょうど、そろそろだれか留学に出そうという話と新たに高速循環流動層による石炭燃焼の研究も始めようという話があったこと。そこに高速循環流動層をテーマに卒業論文を書いた私が入ってきたわけです。また、所属研究室が場所は中央研究所内ながら本社事業部の直轄で別系統だったことから、留学の条件を満たしていないことも大きな問題にはなりませんでした（中央研究所長に「せめて留学前に結婚しろ。相手はいないのか」と言われはした）。

　そんなこんなで、米国大学院の入学許可を自力で取れれば行かせてやる、ただし、学校が始まる前の語学研修はなしでということになりまし

た。

　まずは英語をなんとかしなければなりません。高校時代は英語が得意でペーパーバックを読んだりもしていましたが、すっかりさびついていましたから。なにせ、大学時代は、学業ほっぽらかしでフィギュアスケートばかりしてなかなか卒業できずにいたのですから当然です。必死で勉強し直し、米国の理系大学院で求められるTOEFL550点以上に対して553点とぎりぎりでクリア。高速循環流動層の研究で知られるL・S・ファン教授を頼ってオハイオ州立大学へ留学することになりました。

　最初は、とにかく大変でした。じっと耳を傾ければ講義内容を理解できますが、板書を書き写すなどしただけで英語が右から左に抜けて聞こえなくなってしまいます。しかたがないので、板書だけ書き写し（なにをやったのか、記録が残る）、あとは家で勉強してしのぐことにしました。家での勉強もすべて英語で、時間がかかります。夕方には頭痛がするほど疲れているのに、そこから夜中の2時まで勉強し、朝6時に起きる毎日となりました。英語ができるようになるのが先か、ノイローゼになるのが先かだなと本気で思いました。日常生活も英語漬けです。独身の独り暮らしですし、学科に日本人学生は私しかいませんでしたから。

　3ヵ月もそんな生活をすれば、さすがに英語ができるようになります。目では英語の課題プリントを読みながら耳では先生の解説を聞き、ポイントだと思うところがあればささっとメモをするくらいなんなくできるようになりました。

　また、そのころからタイム誌とビジネスウィーク誌を定期購読し、毎号、全部読み通すということを始めました。修士課程で2年だけの予定だったので、その間は英語漬けになってやろうと思ったのです。雑誌2誌、日曜版の新聞、その他ペーパーバックと合わせて、年間で本150冊分くらいは読んだ計算になります。そんな生活を2年弱したわけで、米国生活の時代だけで本250冊分くらいは英語を読んだでしょうか。

　タイム誌は読む速度を測るということもしました。最初は分速30ワードくらいでしたが、最後は250ワードくらいまで上昇。分速150ワード

を超えたあたりから聞き取りも楽になりました。ふつうの米国人が話すスピードが分速120ワード、早口の人が150ワードくらいだからでしょう。聞き取れない単語があっても、こう言ったのだろうとその前後から推測する余裕が生まれたのだと思います。

その結果、2年間の留学を終えて帰国した1989年には、タイム誌を読みながらCNNのニュースも聞き、横で話されている日本語も追えるくらいになっていました。社内で受けさせられるTOEICは965点。リーディングセクションは3回解いても時間前に退出するくらいになっていました。

その後、エンジニアとして、また、輸入担当として、英語を使う仕事を10年近く続けたあと、子育てに必要な時間のやりくりを共働きの家庭内でつけるため、会社員を辞めてフリーランスの翻訳者に転じました。

産業翻訳と出版翻訳

翻訳というと書籍の翻訳を思い浮かべるのがふつうです。だから、翻訳の仕事をしていますと言うと、「どんな本を訳しているのですか」と尋ねられたりします。ですが翻訳業界においては、産業翻訳とか実務翻訳とか呼ばれる仕事のほうが一般的です。

第1章でも軽く触れましたが、ここであらためて、産業翻訳について詳しく説明したいと思います。

産業翻訳とは、企業活動などから生まれてくる翻訳案件です。日本企業が海外にモノを売りたければ日本語から英語のいわゆる日英翻訳をしなければならないことがあったりします。逆に、海外からなにか輸入して日本国内で売るなら、英語などの外国語から日本語への翻訳が必要になったりします。その翻訳を社内でできなければ、我々フリーランスに外注されるわけです。

仕事の流れとしては、一般に、企業―翻訳会社―フリーランスという形になります。翻訳会社は、案件の内容や納期などを考慮し、登録フリーランスの中から適切な人を選んで仕事を振る仲介役です。翻訳会社は

仲介料を得るわけですが、我々フリーランスにとっては、営業活動がいらない、なにか無理があると思えば仕事を断ることもできる（その場合、翻訳会社がほかの人を起用する）、そういう仕組みになっています。

　もちろん実際にはいろいろあって、翻訳会社経由でも「いつもの人に」と指名で入る仕事は基本的に断れません。翻訳会社にも大本の企業にも迷惑がかかることになりますから。また、我々フリーランスが企業と直接取引をするという形態もあります（私はこちらが主だった）。こちらも仕事は基本的に断れません。こういう案件の翻訳はこの人にと発注先がひとりだけであるのがふつうなのですから。

　私も、会社員を辞めてフリーランスになったときは、産業翻訳専業でした。それがふとしたことから本の翻訳（業界的に「出版翻訳」などと呼ばれる）も手がけるようになったのですが、『スティーブ・ジョブズ』を訳したころは、まだ、産業と出版、両方の仕事をしていました。

　産業翻訳の仕事は企業活動に伴って生まれる仕事なので、予定がたちません。いついつまでに訳してもらえますかと、前触れなく原稿がメールで送られてくるのがふつうです。納期は、私の場合、大きめの案件で1週間など、小さなものなら翌日とかですし、急ぎで今日中にお願いしますと言われることも少なくありません。しかも指名の仕事が大半なので、基本的に断れません。

　会社員でもルーチン以外の仕事を上司に突然頼まれることがあったりしますよね？　産業翻訳の仕事は，そういう仕事があっちこっちの上司からばらばら降ってくるようなイメージになります。

　対して出版翻訳は一つひとつの案件が大きく、所要期間も長いので、ルーチンで担当している仕事のイメージになります。

　こちらも、基本的には出版社さんから打診をいただくことからスタートします（翻訳者が企画を出版社さんに持ち込むケースもある）。編集さんは訳書を読んで声をかけてくださるので、内容が自分に合わないことはあまりありませんが、とにかく、自分向きでないと思えばお断りすることもありますし、ぜひやりたいと思っても、出版社さんとこちらの

スケジュールが合わず流れてしまうこともあります。

　産業翻訳も出版翻訳も、私は、幸い、よく声をかけていただけているので仕事が足らなくて困るということはリーマン・ショックのあと以外、記憶にありませんが、打診がなければ開店休業状態になるという懸念は常にあります。

スティーブ・ジョブズ関連書籍との出会い

　世間的に翻訳といえば出版系がイメージされますし、翻訳者も、出版翻訳と呼ばれる書籍の翻訳をしたいと願う人が多いようです。でも私は、出版の仕事をしたいとは特に思っていませんでした。小学生のころにはもう、自分は理系で将来はエンジニアだと思っていましたし、実際にしばらくエンジニアをしていましたしで、最先端の技術がいま見えることもある産業翻訳のほうがおもしろいとさえ思っていたほどです。

　書籍の翻訳をしたいとは思っていませんでしたが、だからといって、書籍の翻訳をしたくないとも思っていませんでした。だから、お声がかかり、内容がおもしろそうだと思えば、書籍にもかかわっていました。独立直後の1998年から2000年まではワールドウォッチ研究所の『地球白書』（ダイヤモンド社）の訳を一部担当しましたし、2003年には自分の名前で訳書も出ています。

　だが、それらはあくまで「案件」のひとつという意識でした。書籍は原文が7万ワード前後とかなりのボリュームがありますが、産業翻訳でも3万ワードくらいの大きな案件があったりするのでそれほど違わないと言えば言えるのです。

　そんな私が書籍の翻訳をよくするようになったきっかけが2005年の『偶像復活』です。ビジネス書の翻訳を多く手がけられた山岡洋一さんのご紹介でした。

「この本はビジネスと技術、両方がわからないと訳せない。ビジネスがわかる翻訳者はたくさんいるし、技術がわかる翻訳者もたくさんいる。でも両方は少ない。書籍の実績はないけど、彼なら大丈夫だと思うよ」

――そう、東洋経済新報社の編集さんに紹介してくださったそうです。

　私が山岡さんに初めてお目にかかったのは2001年、『翻訳とは何か』がきっかけでした。読むと思わず背筋が伸びるこの本を書いた人に会ってみたいねという話になり、友人とふたりで訪問したのです。ご紹介いただくまでに直接お目にかかったのはこのとき1回だけ。ただ、当時、翻訳者が情報交換をしていた翻訳フォーラムというところに私がいろいろと書き散らしていたものは読んでくださっていて、そこから、こいつなら大丈夫だろうと思われたようです。

　2005年の1月にこのお話をいただいたときは迷いました。産業翻訳でふつうに忙しいところに本を1冊、追加で訳すとなれば、どうしても家のことがおろそかになります。時間は一日24時間しかないのですから。

　子育ての時間的やりくりを家庭内でつけられるようにと会社員を辞めてフリーランスになったというのに、それはないんじゃないか？　でも、内容はおもしろそうだしせっかくのご紹介だし、仕事の展開としてはやってみたい。

　妻に相談しました。

「いいんじゃない？　やってみたいんでしょ？　子どもたちはまだ手がかかるけど、ふたりとも小学生になるし、なんとかなるわよ」

　そんな感じで背中を押され、がんばってみることにしました。

　ところが、実際に翻訳が始まった直後、思わぬ展開になってしまいます。妻が仕事で他部署の特別プロジェクトに組み込まれて、家には寝に帰るだけなら週末も出勤という状況になったのです。子どもたちは小学校の3年と1年でまだまだ手がかかる年ごろです。旦那ひとりのワンオペ育児、それもふだん以上の仕事を抱えてなどできるはずがありません。

　このときは子どもたちのクラスメイトのお家に助けていただきました。子どもたちは学校が終わると友だちの家に行き、そちらで遊ばせてもらうのです。私は夕方まで仕事をしてから迎えに行きます。晩ご飯のおかずまでいただいてしまうこともよくありました。実際、それなしには立ちゆかなかっただろうと思います。このお友だち2軒には足を向け

て寝られません。

　この『偶像復活』が話題になってかなり売れたこと、また、山岡さん
が「彼を使ってみてくれ」とあちこちの出版社さんに声をかけてくださ
っていたこと（山岡さんのご葬儀で、とある編集さんからそんな話を聞
いた。山岡さんは「紹介しといたから」とか言わない方だったので、そ
のときまで私は知らなかった）などから、このあとは、毎年1冊から2
冊、ノンフィクション書籍の翻訳をするようになりました。そうこうし
ているうちに大ヒットとなったのが『驚異のプレゼン』です。これがな
ければ『スティーブ・ジョブズ』もなかったでしょうし、さらにさかの
ぼれば、『偶像復活』がなければ『スティーブ・ジョブズ』もなかった
だろうと思います。

　ワンオペ育児になったとき、請けたのは失敗だったんだろうなと若干
後悔したのですが、ほんと、人間万事塞翁が馬でどうなるかわからない
ものです。

　そうそう、『スティーブ・ジョブズ』後は出版翻訳を主軸とすること
にしましたが、産業翻訳もほそぼそと続ける形になっています。営業活
動なしで指名発注してくれるお客さんがいまだにいるものですから。

翻訳者は知りたがり屋

調べ物は現場検証？

　産業翻訳にせよ出版翻訳にせよ、翻訳の仕事は雑多な知識が求められ
ます。私は、インターネットが登場する前、パソコン通信の世界で運営
されていた翻訳フォーラムというところで翻訳の基礎を仲間から学んだ
のですが、そこでも、翻訳者は勉強を一生続けることになる、翻訳とい
う仕事の半分は調べ物だなどとよく言われていました。

　私には、勉強する際、心に留めていることがあります。「必要になっ
たら勉強する」です。将来必要になるかもしれないと勉強しても、どう

せ、使うころにはきれいさっぱり忘れていて勉強し直しになります。必要になったとき、集中的に勉強ができれば十分だと思うのです。

　そのときどきで必要になったことを調べて理解する。覚えようとは特にしない。前にも調べたのに忘れてしまったなどと悔やんだりしない。どうしても必要なことはくり返し出てくるので、さすがにそのうち覚えます。でもそんなことでさえ、しばらく使わないでいると忘れてしまいます。いいんです、使わないから忘れたわけで。使わないことを覚えていてもしかたがないでしょう。また使うようになったら、また覚えればいいんです。っていうか、またしょっちゅう使うようになったら、いやでも覚えることになります。ですから、何度同じことを調べても気にしません。まだ、覚えられるほどくり返し出てきてはいないというだけのことなのですから。

　仕事中は調べ物をよくします。「こんなことまで？」と思われるであろうことまで調べます。

　たとえば『スティーブ・ジョブズ』の第13章。1983年1月末の研修会でジョブズとビル・アトキンソンがぶつかるシーンがあります。このシーンに出てくる一節"down the hall"をいろいろあって「ホールの反対側」としていたら、案の定、「廊下の向こう側」だろう、この翻訳者はそんなことも知らんのかとたたいている人がいました。

　そうなんです、"hall"には、いわゆる「ホール」のほか、米語では「廊下」の意味があります。というか、米語では「廊下」だと思っていたほうがいいというくらい、そちらの意味で使われます。

Hall（ランダムハウスの語義）

```
【1】（住宅・建物の）入り口の広間、玄関、ロビー
【2】＊米＊（建物内の）廊下、通廊、通路
【3】(1) ＊しばしば H-＊ 人の集まる大きい部屋[建物]；大広間、集会場、講堂
```

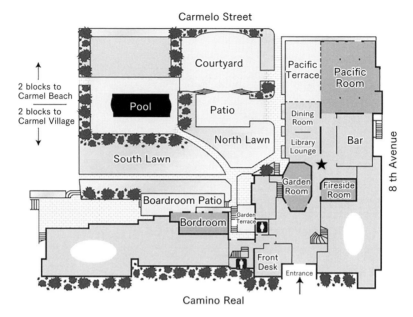

Carmelo Street

2 blocks to
Carmel Beach

2 blocks to
Carmel Village

Courtyard

Pool

Patio

North Lawn

South Lawn

Pacific
Terrace

Pacific
Room

Dining
Room

Library
Lounge

Bar

★

Garden
Room

Fireside
Room

8 th Avenue

Boardroom Patio

Bordroom

Garden
Terrace

Front
Desk

Entrance

Camino Real

研修会が開かれたホテルの見取り図

　ここも、「廊下の奥」といった意味合いに取るのが言葉の解釈としては一番すなおです。それをなぜ、たたかれるだろうとわかっていてなお、「ホールの反対側」としたのでしょうか。

　実はここ、ホテルのウェブサイトにあった見取り図を見ながら訳しました。本文中に出ていたホテル名を手がかりに探し出したのです。研修会が開かれた当時から増改築があった可能性は低いと思います。

　研修会直前、アトキンソンはジョブズの部屋に行って不満をぶつけました。部屋があるのは、左下のブロックか右下のブロック（○）かでしょう。ジョブズは話を打ち切り、アトキンソンの脇をすり抜けて研修会へと向かいます。

　このあとに問題の文が登場します。研修会会場でジョブズが演説を始め、大歓声が上がるのを聞いてアトキンソンが諦めるシーンです。原文は、次のようになっています。

Atkinson, from down the hall, heard the loud cheer, and with a sigh joined the group.

　研修会の部屋は、右上のPacific Roomでしょう。居室が左下でも右下でも、研修会の部屋へ行くなら玄関ホールを通ります。また、玄関ホールから研修会の部屋までの途中にも、小さなホール（★）のようになっているところがあります。

　さて、アトキンソンはどこにいたのでしょうか。アトキンソンは、研修会会場へ向かうジョブズの背中を追ったけど、どこかで足が止まり、会場には入らなかった。どこで足が止まったのでしょう。ここからは想像です。Pacific Roomの入り口付近ということはまずありません。"down the hall"とdownがありますから、それなりに離れていたはずです。真ん中あたりの小さなホールのようなあたりか、それとも、玄関ホールから廊下に消えていくジョブズの背中を見送り、いまだ玄関ホール部分にいるのか。映像で見せるなら、Pacific Roomの入り口が見えないくらいのところに立つアトキンソンを映し、歓声が聞こえたらためいきをついて歩き出す、といった感じでしょうか。

　日本語でどう表現するかも並行して考えなければなりません。「廊下の向こう側」だと、短辺側、つまり、廊下を挟んで向こう側の壁際というのが素直な解釈のはずで話が違ってしまいます。「廊下の先」「廊下を行ったところ」はPacific Roomの入り口に視点があって、そこから遠くに立つアトキンソンを見る情景になってしまい、使えません。アトキンソンは歓声を聞き、ためいきをついて歩き出すわけで、アトキンソンに寄った情景でなければならないからです。じゃあ「廊下の手前」か。その場合、直前の会場内におけるジョブズの演説シーンとうまくつながりません。「部屋の中」から「その部屋を廊下の向こうに望む位置」へとすっきり場面転換するのは難しいのです。英語では問題なくできるのですが、日本語ではうまくできません（逆に日本語で簡単にできて英語に

できないこともいろいろとあります）。

　そもそも、著者は"down the hall"でなにを伝えたかったのでしょう。アトキンソンは不満をいっぱい抱えていて、研修会の会場に入れなかった。足が止まってしまった。それも、かなり手前で止まってしまった。そんなところでしょう。であれば、読者を置いてけぼりにすることなく「部屋の中」からすんなり場面転換できて、部屋から離れているとわかる表現にするのがいい。そう判断した結果が「ホールの反対側」です。廊下うんぬんで距離感を出すのは難しいですし、「ホールにいた」も、読者はこの見取り図を見ていませんから、部屋の入り口がホールに面していてそこにいたと思う人が出てくる可能性を排除できません。

　そんな経緯だったわけですが、いまふり返ると、詰めが甘かったなと思います。会場のかなり手前で足が止まったことを表現するのに、場所を明記する必要はなかったな、と。たとえば「大歓声が聞こえたアトキンソンはためいきをひとつつき、研修会に加わろうと会場に向かって歩き始めた」といった形でも離れていたことはわかりますし、たぶん、こちらのほうがよかったのではないかと思うのです。なんだかんだ、時間がなくてあせっていたのかもしれません。

「原文は親切に読む。訳文はいじわるに読む」

　我々翻訳者にとって誤訳というのは一番いやなものですし、一番やってはならないことでもあります。ですが、人間がすることにミスはつきものであり、誤訳も完全に避けることはできないと思っておくべきです。

　そもそも、なにをもって誤訳と言うのでしょうか。

　一般には「原文と意味が違う訳文」を誤訳と言います。さらに言えば、現実には、「読み手が原文はこういう意味だと思った内容と、訳文はこういう意味だと思った内容がずれていたとき」誤訳だと言われます。でも、ですね、文章をどう読むか、どういう意味だと思うかは、実は人によって異なります。母語でさえそうです。そうでなければ、国語

の試験で「ここで作者はなにが言いたいのか」などが問題として成立するはずがありません。また作家の方々も、「自分が書いたつもりとは違う読み方をされることが少なくない」などとよく言われます。

　そのあたりを考えると、誤訳というのはいろいろとややこしい話になります。まず原文の意味も、原著者が書こうとした意味と翻訳者が読み取った意味と、読者ひとりひとりが読み取る意味という具合にたくさんの意味があります。訳文の意味も、翻訳者が書こうとした意味と、読者ひとりひとりが読み取る意味とがあります。

　その中で、原著者の代弁者として、原著者の意図がなるべく正しく読者に伝わるように橋渡しをすること——それが翻訳者の仕事です。言い換えれば、単語の対応がどうであれ、見た目がどうであれ、原著者の意図が読者に正しく伝われば、いや、読者が読み取った意味が原著者の意図どおりであれば、結果として、翻訳者としての仕事がきちんとできたことになります。逆に、どれほど「正しく」訳されていようと、訳文の読者が原著者の意図と異なる意味を読み取ってしまったら、その読者にとっては「誤訳」です。

　整理してみましょう。狭義の誤訳は、原著者が書こうとした意味と、翻訳者が読み取り、表そうとした意味とが違っているケース。広義の誤訳は、原著者が書こうとした意味と、訳文の読者が読み取った意味とが違っているケース（理由はいろいろと考えられる）。一般的によく言われる誤訳は、読者が原文から読み取った意味と訳文から読み取った意味とが違っているケース。そういうことになります。

　この中で翻訳者が多少なりともどうこうできるのは、「翻訳者が読み取り、表そうとした意味」の部分と「読者が訳文から読み取った意味」の部分です。翻訳者としては、こう書こうとしたという著者の意図までなるべく正しく把握すること、そして、ひとりでも多くの読者が著者の意図どおりの読み方をしてくれるように、ほかの解釈がしづらいように訳文を組み立てることが大事なわけです。『スティーブ・ジョブズ』で"unagi sushi"を「穴子」としたのは、著者の意図をくんでのことです。

どこかから誤った情報がまぎれ込んだから"unagi"としてしまっただけであり、実際には「穴子」だったと知っていたら、著者は"anago sushi"としていたはずです。

　このような読み方を、私は「原文は親切に読む。訳文はいじわるに読む」と表現しています。

　"unagi sushi"については後日談があります。「トブ　iPhone」を書いているブロガー、トブさんと現場検証に行ったのです。ホテルオークラが耐震設計の関係から改築になり、このお寿司屋さんも閉店になると聞いたからです。

　穴子の寿司が入っていることを確かめて、ランチを頼みました。はい、塩とタレ、2種類の穴子が出てきました。

　ジョブズが座ったお気に入りの席があったらそこでと思いましたが、残念ながら、お店の人も記憶していないとのことでした。

　ちなみに、聖地巡礼で京都のお寿司屋さんも訪ねています。
『スティーブ・ジョブズ』の翻訳をきっかけに、アップル製品関連で活動している人々とつながりました。そして、その人たちと、スティーブ・ジョブズの一周忌に、ジョブズゆかりの地を巡る京都ツアーをしたのです。

　ジョブズの定宿「俵屋旅館」はさすがにお高くて外から写真を撮るだけにしましたが、お昼はジョブズが通ったというおそば屋さんで食べましたし、彼が好んだという苔寺をゆっくり散策したりもしました。夜は、ジョブズが絶賛したというお寿司屋さんです。

　ジョブズお気に入りの席には、はい、みんな交代で座らせてもらいました。

　セットものにジョブズが大好きだったという大トロを追加してもらったのですが、これ1貫でセットに匹敵するお値段。我々庶民が気楽に食べられるレベルではありません。さすがに。

　お味は……おいしいのはおいしいのですが、私には1貫で十分でし

た。ジョブズはこればっかり食べていたという話もありますが、なにせこってりしているのです。私は薄味が好みなので……。

誤訳と誤読の壮絶（？）バトル

『スティーブ・ジョブズ』に対する誤訳の指摘

当然ながら、翻訳者もピンキリであり、訳文のレベルもいろいろです。よくよく読んでみればまちがってはいないと言えるかもしれないが、すんなりと読めない訳文もあれば、さらっと内容が頭に入ってくる上手な訳文もあるわけです。この2種類を100人に読ませたらどうなるでしょう。上手な訳文でも、ひとりやふたり、もしかすると10人が誤読するかもしれません。でも、まちがってはいないというレベルの訳文なら、すぐに10人、20人が誤読してしまうでしょうし、下手すれば半数以上が誤読するかもしれません。

つまり、誤訳という問題は、○か×か、0か1かという2進数的な話ではありません。その訳文が（結果的に）誤訳になる人の割合が100%なのか、80%なのか、50%なのか、10%なのか、1%なのか、0.1%なのかという問題なのです。

従来の○×的な判別では、100%の場合のみが誤訳であり80%なら誤訳ではないという主張が一応はできるし、訳した翻訳者側からはそのような主張がされることが少なくありません。でも、誤訳になる（誤読する）人の割合をたとえば10%以下にしたいなら、50%が誤読する訳文は誤訳と考えるべきでしょう。「誤訳していないのに誤訳だと言われた」という話をみかけることがあるのですが、その中には、このようなケースもあるはずです（もちろん、逆のケースも）。

「誤読されたら誤訳だ」と思うと、訳文を書くのが怖くなります。なにをどう書いても誤読される気がするのです。でもその怖さがあれば、「誤訳をしない」をさらに進め、「誤読されるおそれをなるべく小さくす

る」まで行けるのではないかと私は思っています。

『スティーブ・ジョブズ』には誤訳の指摘がけっこうありました。たくさんの人が読んでくれたからこそ、ここはなにかおかしいのではないかと思い、それをネットに書く人が出てくるわけで、それはそれでありがたいことなのですが、翻訳をした者としては、やはり、心穏やかならざるものがあります。

誤訳の指摘が最初に書かれたのは、たぶん、アマゾンのレビューでしょう。「なお翻訳については突貫工事であったことを考慮してもあまりほめられたものではない。以下、気づいた箇所のごく一部を挙げる」として、16ヵ所が挙げられていました。

こういうとき、翻訳の世界では「反応しない。おかしな指摘は無視。当を得た指摘は増刷時に直す」が一般的な対応です。特におかしな指摘に反論すると「あなたの解釈がまちがってるのよ」と読者をこき下ろすことにもなりかねませんから。

ですが、このときは、私にちょっと思うところがあったのもあり、講談社さんにも断った上で、その指摘に対するコメントをブログに書くことにしました。ちなみに結果として、指摘どおりでなにがしかのミスがあり要修正なところが4点、指摘部分はいまのままでいいが、指摘を契機に見直したところ改良の余地ありでせっかくだから直そうと思ったところが4点、残り8点はさまざまな理由からもとのままにすべきだと思いました。

以下、翻訳とはさまざまなことを考えながらおこなうものだとわかる例をいくつか、この指摘を参考に検証してみましょう。

まずひとつ、"around June 1981"という原文を「1981年6月を契機に」と訳したところについて、なぜ契機になるのかわからない、「〜ごろ」ではないのかといった指摘がありました。

契機となるのは基本的にモノゴトなので、日付が来るのはおかしいという考え方はありえます。ただ、実用上、ある日付なりになにかがあったという文脈では、「（日付）を契機に」という使い方もされています。

ここではその使い方を採用し、「アスペンで毎年開催される国際デザイン会議に参加しはじめた1981年6月を契機に好みが大きく変化する」としたわけです。このあたりは慣用としてどこまでを正しいコロケーション（言葉と言葉のつながり）として認めるかであり、どれが正解でどれがまちがいということはない範疇に入ると思います。狭くとればおかしい表現と言えるし、ある程度広めにとれば正しい表現という範囲だろうということです。

「もうあと2週間あれば」という話に続いて登場した"another couple weeks"は「もう2週間」のはずで、「1〜2週間で」という私の訳はおかしいという指摘もありました。

　たしかに、直前に地の文として"All they needed was an extra two weeks."とあり、そちらは「2週間」と明確に書かれているのでそう訳してあります。対して問題の"another couple weeks"はジョブズのせりふで、「2」と取るのが一番すなおではあるのですが、「少数の」ともとれる若干ぼかした言い回しになっています。うがった見方をすれば、ジョブズには「ホントに2週間でなんとかなるのか？」という考えが頭の隅にあり、それが若干ぼかした言い回しに出てきたという解釈もありえます。また、言語の性格が違い、英語で言い切るものが日本語では「ごろ」「など」が付くのもよくある話です（逆に日本語→英語では「ごろ」「など」が消えるケースが多い）。この2点を勘案した結果、このせりふの部分は少しぼかしておくことにしました。

　ぼかすにあたっては、「2週間やそこらで」というような言い方もあれば、私が最終的に選んだように幅をもたせる言い方もあります。どちらでなければならないというものではなく、最終的にはどういうニュアンスをもたせたいかの問題です。なお、幅をもたせるにあたり、"another couple weeks"なら「2〜3週間」ではないのかと思う人もいるでしょう。いや、それがふつうでしょう。それはわかった上で、あえて、ここは「1〜2週間で」としています。「ほんのちょっと遅らせたところで意味などないだろう」というジョブズの想い（そう思ったのではないかと私は

読んだ）を出したいと考えたからです。

"a flair for the dramatic"については、「演技力」ではないのかと疑問を投げかけられました。実は、訳した際、私も「演技力」がわかりやすいと思ったのですが、原文で著者がいわんとしていることは、ドラマチックに盛りあげる構成力、演出力、演技力などまでを含むはずで「演技力」では狭すぎると、最終的に「ドラマチックな能力」としていました。ただここは、あらためて考え直すと、「ドラマチックに盛り上げる技」くらいにしておいたほうがよかったなと思います。「ドラマチックな能力」ではわかったようなわからないような、になってしまいますから。

『スター・ウォーズ』をどこまで訳す？

"his first Star Wars trilogy"の訳、「『スター・ウォーズ』の前半三部作」に対しても、全六部作の後半三部作となる「最初に作った三部作」ではないのかと言われました。

その指摘を見たとき、思いました。ああ、やっぱりこういう話が出てきたか、と。

『スター・ウォーズ』は制作時期と六部作という映画全体の時系列とで時間が前後するのでややこしいんですよね（このころは、全六部作でいったん完結していたが、のちに続三部作が制作され、全九部作になっている）。

ここで取り上げているのは、制作時期でいう前半三部作、物語の後半三部作ですし、"his first Star Wars trilogy"をすなおに訳せば「最初に作った三部作」あたりになります。ですが、その前後との関係を考えるといろいろややこしくて、最終的に「『スター・ウォーズ』の前半三部作」という訳し方にしました。

ここ、訳文をもう少し長く紹介すると、「このころルーカスは、『スター・ウォーズ』の前半三部作を完成させたところだったが離婚でもめており、……」となります。

この「前半三部作」の部分に「最初に作った」と動詞を入れて「『ス

ター・ウォーズ』の最初に作った三部作を完成させたところだったが……」とすると時間的な視点がおかしくなります。その後作ったものがなければ「最初」かどうかわかりませんから「最初に作った」は、言外に、「その後作ったものがある」を意味します。つまり、最初に作った三部作のあとに作られたものが出てきた時点から見ている表現になります。対して、「完成させたところだった」は、「完成時点」に焦点を当てる表現です。つまり、「作った」と「完成させた」がバッティングしてしまいます。

　時間が混在しているわけで、語順を入れ替えたくらいではどうにもなりません。そして、この文は後ろとの関係でルーカスに焦点を当てたいので、「完成させたところ」のほうは残さざるを得ません。つまり、「作った」を削るしかなくなります。ところが、この「作った」を削ると「最初の三部作」となってしまい、制作時期で最初なのか物語の時系列で最初なのかわからなくなってしまいます。

　このあたりを明確化しようと"his"を訳出し、「彼にとって最初の『スター・ウォーズ』三部作」みたいにすると、今度は、ルーカス以外にとって最初の『スター・ウォーズ』三部作とかルーカス以外にとって2番目の『スター・ウォーズ』三部作とかが言外に示唆されてしまい、これまたおかしくなります。

　このあたりを避ける方法としては、状況説明（『スター・ウォーズ』の説明）から入る手があります。ただその場合、「『スター・ウォーズ』は第1期三部作、第2期三部作の全六部作だが、このころルーカスは、その第1期を完成させたところで……」などとどうやってもかなり説明的になってしまう上、文の頭で『スター・ウォーズ』にフォーカスがあたってしまい、前後とのつながりが悪くなります。

　結局、説明的になったりつながりが悪くなったりといったマイナスがあってもなお出すべき情報なのか、それとも、多少、誤読する人があってもいいからさらっと流したほうがいいのかの判断になります。そして、結論から言えば、私は後者だと思ったわけです。

何年という話が出ているので、事実関係を知ろうと思った人は十分に確認可能です。リアルタイムで『スター・ウォーズ』を観ていた人は、1985年という数字から、これが制作時期が早いほうの三部作を指していることがわかるはずです。『スター・ウォーズ』についてよく知らない人、それこそ見たこともない人にとっては、この三部作がどちらの三部作であってもさしたる意味を持ちません。本書における『スター・ウォーズ』の扱いはその程度でしかないからです。

「わかりやすさ」だけが正解なのか？

意味がわからない訳だと言われたところもあります。「冷たいサラダのあとの温かな許し、度を過ごしたのは、閉ざされていた部分が開かれたことを意味します」という一文です。

わかりにくいだろうなとは思います。訳した時点でわかりにくいと言われるだろうと予想もしましたし、実際、編集作業中、講談社の編集さんから「わかりにくい」との指摘もありました。その上でなお、ここはママにしたいと思い、残したものです。

原著のこの部分、英語自体は難しくありません。日本でも高校なら確実、下手すれば中学でも出てくるんじゃないかと思うような単語ばかりの簡単な文です（"the excess, the permission and warmth after the cold salads, meant a once inaccessible space had opened"）。

ここは原著の英語も文脈依存でわかる人にはわかるし、わからない人にはわからないになっています。であれば、かみ砕いて説明するような訳にするのはよくないと思い、上記のような訳のママにしました。また、わかりにくいとの指摘に説明するのもやめておきました。ジョブズとリサの性格、そこまでのふたりの人生、ふたりの間に横たわる経緯などを想いながら、リサが何を言いたかったのかを想像していただくべきところだと考えるからです。

このほか、「非常に」の意味で「とても」という言葉を使っている点、またその使用頻度にも疑問を投げかけられました。

　たしかに、「とても」という言葉は、もともと別の意味で用いられていて、「非常に」の意味で使われるようになったのは昭和の初期と比較的最近ではあるようです。逆に言えば私が生まれたころにはとっくに定着していたわけで、『スティーブ・ジョブズ』の読者ならなじんでいるはずの表現です。

　ですから使うこと自体は問題ないはずですが、言葉使いの好みとして使いすぎと感じる人はいてもおかしくありません。ちなみに、ざっと数えてみたところ、850ページで150回ほど、平均して6ページに1回くらい使っているようです。逆に「非常に」は1回だけでした。

「非常に」ではなく「とても」をよく使ったのには理由があります。幅広い読者を対象と考え、漢語系や書き言葉系の表現を減らし、和語系や話し言葉系（できればひらがなで書く言葉）を多用したからです。この場合、「非常に」の意味を表すのがけっこう難儀です。漢語系でも書き言葉系でもなく、かつ、くだけすぎない表現というのは意外なほど少ないからです。しかも英語というのは全体に大げさなので、ある程度は訳出時に整理するにせよ、この手の表現が必要な部分が多くなりがちです。つまり「とても」を減らせばほかの表現が増えてしまうわけで、あちらを立てればこちらが立たずになるというか、こうすればすべてOKという方法はないと思います。

　発言は行を変え、"he said"などを訳出していないので、だれの発言かわからないことが多い、これは編集上の大失敗だとの意見もありました。

　このあたりの処理は翻訳者によって違うのですが、私は、発言の行は変える、"he said"などは訳出しないを基本にしています（「……とだれそれが言った」以外の形で発言者を示す工夫をすることもある）。

　もとから日本語で書かれた小説などがそういう形式を基本にしているからです。日本語で書かれた書籍がそういう形式であるのには意味もありますし、読者にとって読み慣れた形式でもあります。翻訳書ばかりを読んでいる人にとっては違うかもしれませんが、私は、翻訳書を読み慣

れていない人でも読めるようにしたいと考えているので、日本語として一般に使われている形式に合わせられるところはなるべく合わせているわけです。

　発言者を示す工夫を特にしなかったところは、内容や口調からわかるはずだと思ったところなのですが、それがわからなかったということであれば、それは書き手として私の技量が不足しているということなのでしょう。

翻訳はどうあるべきか

「いい翻訳」ってなんだろう？

　翻訳とはどうあるべきか。これは意外にややこしい問題です。基本は「原文と等価な訳文にする」なのですが、では、なにをもって等価と言うのかが本当にいろいろとありうるからです。

　というか、実は、本当の意味で等価というのはありえません。翻訳すれば必ずなにかがズレます。だから、「どこをどうずらせば全体としてズレが小さくなるのか」という問題なのだと私は考えています。

　似たようなことを柴田元幸さんも『ぼくは翻訳についてこう考えています　柴田元幸の意見100』（アルク）に書かれています。「翻訳なんて、全部、間違っている」、「どう間違うのがいちばんいいのか」だ、「翻訳は負け戦」であり、「10対0で負けるのではなく10対9で負けるように頑張る」ものだ、と。言い得て妙だと思います。

　さて、「全体のズレを小さくする」を目標にすると、部分部分はむしろズレを大きくしたほうがいい場合が出てきます。部分部分のズレが最小になるようにしたら全体のズレが一番小さくなるわけでは必ずしもないからです。最良の積み重ねが最良を生むわけではないと言いますか。『スティーブ・ジョブズ』にかぎらず、訳書に対して誤訳の指摘をうけたとき、よく思うのが、「そこだけ見ればたしかにそうも言えるけど、

116

でも、そこそうするとほかに無理が出て、全体として大きなズレが生じちゃうんだよなぁ」です。指摘する人たちにそこまで見ろと言うつもりは、もちろん、ありませんが。

「翻訳とはどうあるべきか」には切り口がたくさんあり、その一つひとつが簡単に見えて、よく考えるとわけがわからなくなるくらい複雑だったりします。それこそ、意訳がいいのか直訳がいいのかというよくある議論でさえ一筋縄ではいきません。ほかにも、外国語から日本語の翻訳なら最初から日本語で書いたような訳をめざす「同化翻訳」がいい、いや、それでは、新たななにがしかを持ち込むことができない、だから、さまざまな意味で「ざらつき」を感じる訳にする「異化翻訳」がいいなど、観点も次元も異なる議論がいろいろとあるのです。

意訳 vs. 直訳

どういう翻訳がいいのかという議論で一般にもよく言われるのが、「意訳 vs. 直訳」でしょう。

翻訳者同士でも、意訳と直訳、どちらがいいかという議論がよく巻きおこります。ですが、ほとんどの場合、話がかみ合うことさえなく終わります。理由は、意訳も直訳も意味する内容が人によって異なるからです。意訳にも直訳にもいい意味と悪い意味があると言ってもいいでしょう。

- **いい意味で使われるときの意訳**

  原文の「意」をくみ、それがきちんと伝わるように翻「訳」されている

- **悪い意味で使われるときの意訳**

  原文にない情報が付け加えられていたり原文にある情報が削られていたりして、原文とは意味内容がまったく異なる訳文になっている

117

- **いい意味で使われるときの直訳**

  原文に書かれている内容がそのまま「直」に表れた翻「訳」になっている

- **悪い意味で使われるときの直訳**

  原文が思い浮かぶ訳文であるとともに、訳文だけを読んだのでは意味不明で、透けて見える原文を思い浮かべて初めて意味が取れる訳文

　いい意味の意訳と悪い意味の直訳を比較すれば意訳がいいことになるし、悪い意味の意訳といい意味の直訳を比較すれば直訳がいいことになります。そして、前者のように考えている人と後者のように考えている人が「意訳と直訳、どちらがいいか」を議論しても話は混乱するだけです。

　当たり前ですよね。そして、そういう議論からは、では実際にどう訳すのがいいのか、結論を導くことができません。

　私は、「意訳 vs. 直訳」という二項対立ではなく、いい意味の意訳といい意味の直訳をひとつにまとめ、以下のように三項対立で考えるべきだと思っています。前述のように、いい意味の意訳といい意味の直訳は実質的に同じことを指していますから。

- **翻訳**

  いい意味で使われるときの意訳、いい意味で使われるときの直訳

- **字面訳**

  悪い意味で使われるときの直訳

- **勝手訳**

  悪い意味で使われるときの意訳

　ここで言う「翻訳」はいい意味の意訳でありいい意味の直訳であるものです。「字面訳」は悪い意味の直訳、「勝手訳」は悪い意味の意訳です。こう考えれば、我々翻訳者がめざすべきものは翻訳であり、字面訳や勝手訳は避けなければならないとすっきりします。

"boiling water" は何℃なのか？

　さて、いずれにせよ、いい・悪いという判断のベースになるのは、翻訳の基本としてよく挙げられる「なにも足さない、なにも引かない」です。翻訳はあくまで原文ありきですから。

　ですが、なにをもって「なにも足さない、なにも引かない」というかがまた難しい問題です。単語の並びなど、形の上で「なにも足さない、なにも引かない」ようにすれば、それは字面訳にしかなりません。翻訳では内容レベルにおいて「なにも足さない、なにも引かない」ようにしなければならないのです。

　以下の式を実現するのが翻訳だ、と言ってもいいでしょう。

原文を読んだ読者が受けとる情報
（＝著者が伝えたいと思った情報）

＝

訳文を読んだ読者が受けとる情報

　"fly ash"がボイラー技術者向けの文書に出てきたとき「フライアッシュ」と訳すのは翻訳です。専門用語としてこれが定訳ですからね。これが小学生向けの文書に出てきたとき「フライアッシュ」と訳すのは、定訳で思考停止した字面訳と言っていいでしょう。何年生以上が対象読者であるかにもよりますが、「（えんとつに向けて）とんで行くはい」くら

いにはしておくべきだと思います（「煙突」は中学、「灰」は小6、「飛ぶ」は小4で習う漢字）。これをたとえば「飛び散る遺骨」などとしたら勝手訳です（辞書でashを引くと「遺骨」という語義が出てきます。かなり苦しい例ですが……）。

　"fly ash"より身近な例として、こういう話でよく引き合いに出されるのが"boiling water"です。

　字面では「沸騰している水」ということになりますが、違和感、ありませんか？　ふつうの日本語では、沸騰させたら水ではなく、お湯です。カップ麺の作り方で「沸騰している水を注ぐ」としても食べられないものができてしまうおそれはないと思いますが、「沸騰しているお湯を注ぐ」くらいにはしたいところです。印字面積が限られているカップ麺のパッケージ表面に印刷する文章なら「熱湯を注ぐ」あたりが適切でしょう。

　ついでなので、「沸騰している水（お湯）」の「している」という部分をいろいろに言い換えてみましょう。

- 沸騰している水（お湯）
- 沸騰した水（お湯）
- 沸騰させた水（お湯）

　まちがってはいないという低レベルの話ではありますが、パッと見たところ、どれも同じくらいには使える気がしませんか？
「沸騰している水（お湯）」「沸騰したお湯」「沸騰させたお湯」なら、実際的な損害が出ない程度には大丈夫だと思いますが、これ以外は危ない訳になります。特に危ないのが「沸騰させた水」。「湯冷まし」と取られる可能性があるからです。湯冷ましで作ったカップ麺なんて、食べたくないですよね。「沸騰した水」も若干、危ないのですが、「沸騰させた水」ほどではないでしょう。

　なお、"boiling water"は常に「お湯」系の訳し方をすべきかというと

そうではありません。"boiling water"が化学系や産業系の話で出てきたら、逆に、「沸騰しているお湯」は変であり、「沸騰している水」などとすべきです。"boiling water reactor"は「沸騰水型原子炉」ですし、ビーカーに用意するのは「沸騰している水（純水）」であってお湯ではありません。「ビーカーに沸騰しているお湯を用意して」としても実験に失敗する人は出ないかもしれませんが、実験の説明書を書いた人のレベルを読む人が思わず疑ってしまう＝原文を読んだ読者が受けとらない情報まで訳文を読んだ読者が受けとることになり、「なにも足さない、なにも引かない」の原則から外れることになります。

　蛇足ながら、実験後の様子までが描かれていて、ビーカーでお茶を淹れるなんて展開であれば、「ビーカーで沸かしたお湯」など「お湯」になりますね。ビーカーでお茶なんてありえないと思う人もいるでしょう。もちろんヤカンがあればそっちを使うんですが、たまにやったりします。自分でやったことも、そうやって淹れたお茶をもらったこともあります。はい、私は、もともと化学系が専門ですから。

専門用語 vs. 日常語

　一般に「専門用語は翻訳が難しい」と思われているようですが、実は逆で、日常語であればあるほど訳すのは難しい、です。

　原子炉の"boiling water"は沸騰水など、専門用語には専門用語としての訳をあてなければならないし、新しい技術や分野だと、その訳語がなかなかみつからないこともたしかにあります。ですが、専門用語だと判断できてその訳語をみつけることさえできれば機械的に訳せるという意味で、専門用語の翻訳はやさしいのです。

　逆に日常語は意味範囲が広く、どの意味で使われているのかが毎回違っていたりします。価値観がにじむ使い方も多く、いい意味で言っているのか悪い意味で言っているのか、あるいはニュートラルなのか、毎回、判断しなければならなかったりします。いい意味のように見えて皮肉ってるなんてケースもあります。

こういう日常語は、英和の大辞典などを何冊か引いて語義をざっと読み、意味範囲をつかんだ上で、その文に最適な訳語を連想ゲームでひねり出すという作業が必要になります。どの辞書にも載っていなかった訳語にすることもよくありますし、最終的に辞書に載っている訳語を選んだ場合でも、いったんは辞書を離れてあれこれ検討して訳語を決めたら、結果として、それが辞書に載っているものだったというのがふつうです。

　いくつか例をご紹介しておきましょう。

　先日、ある本に出てきた"a distillation of wisdom"は「知恵の集大成」としました。原文の意味は「知を蒸留したもの」です。「種々雑多な知をたくさん集め、それを蒸留することで濃度・純度を高めたもの」とでも言えばいいでしょうか。それを説明するという形ではなく、原文と同じくらい短い言葉で表現できるものと考えた結果が、「知恵の集大成」です。

　また、次から次へとビジネスを立ち上げたという話で出てきた"entrepreneurial"という形容詞は「商売っ気がある」としました。この単語を辞書で引いても、「起業家らしい」「起業家的な」「起業家精神にあふれた」あたりしか出てきません。でも、「起業家」って一般的な言葉ではなくて使いづらいし、読者の頭にもすんなりとは入ってくれそうにありません。だから、いろいろと考えた末、「商売っ気がある」としたわけです。

英語の流れ・日本語の流れ

情報は頭にある？　尻尾にある？

　英語と日本語は違います。単語そのものも違えば文法なども違います。その違いを橋渡しするのが翻訳だと一般には思われていますが、実は、話の流れ方も違います。英語の文を日本語にしただけでは、話の流れ方が日本語らしくなくなってしまうのです。

　話には大きな流れがあります。加えて、その流れを補足する部分があ
ちこちにくっついています。そのくっつき方も英語と日本語では大きく
異なります。ごくおおざっぱに言えば、英語は、関係代名詞や現在分
詞、過去分詞など、さまざまな仕組みを駆使して文の最後に補足情報を
ぶら下げるのに対し、日本語は、頭のほうで本筋以外の情報を紹介した
後、大きな流れに入ります。

話の流れ方―― 英語

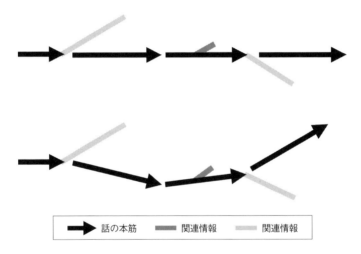

　一例として、4文を図にしてみました。色の濃い部分が本筋の話で、
本筋部分の後ろや途中から横に出ている色の薄い部分が、"which"など
で付け加えられた関連情報の部分です。このパターンで話を展開できる
ように、英語には、ここから関連情報だよというマーカーや、ここで話
が本筋に戻るよというマーカーなどがたくさん用意されています。

話の流れ方——日本語

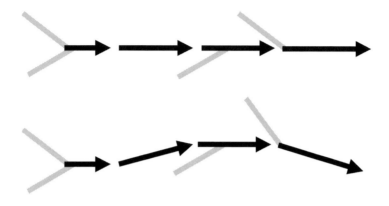

　こちらも4文を図にしてみました。同じく色の濃い部分が本筋の話で、本筋の前や途中に合流するように流れる色の薄い部分が関連情報です。日本語は、このように、まず関連情報を提示し、「そういうとき、こうなるんだよね〜」という感じで話が流れていきます。ちなみに、全体の流れをつかさどるのは文末の述語。また、日本語には、このパターンに合ったマーカーがたくさん用意されていて、それをうまく活用すれば話がスムーズに流れます。

　補足情報がたくさんぶら下がった英語をそのまま日本語にすると読みにくくなります。日本語は、基本的にぜんぶ前側から修飾することになるため、補足情報が最初にずらずらと並ぶ頭でっかちの文になってしまうからです。そのため、翻訳の教科書などでは、「そういうときは文を切り、補足の部分は別の文にする」などと教えられています。

　たしかに、その文だけを見ればそういう訳し方で収まる感じがするのですが、現実には、その前後にも文がありますし、文章の流れというものがあります。そこを考えず、補足部分を独立させるととても読みにくい文章になってしまうことが少なくありません。

　補足部分を切って別文に仕立てると、話が補足のほうへ流れているように感じられるのです。ところが、原文で次に続いている文のところに

行くと、突然、本筋に話が戻ります。このとき「いまは補足部分だよ。次は本筋に戻るよ」となにがしかの方法で示さないと読者が置いてけぼりになってしまいます。

　英語には、「いまは補足部分だよ。次は本筋に戻るよ」と示すマーカーがいろいろとあります。たとえば、さきほど挙げた関係代名詞や現在分詞、過去分詞などは「ここから補足部分だよ」というマーカーですし、文の最後を示すピリオドは「次は本筋に戻るよ」というマーカーの役割も果たしてくれます。

　でも、このタイプのマーカー、日本語にはあまりありません。そのため、英語から日本語に訳すと文と文がどういう関係になっているのか、どうつながっているのかがあやふやになりがちです。次のようになってしまうと言ってもいいでしょう。

話の流れ方―― 英日翻訳（よくある例）

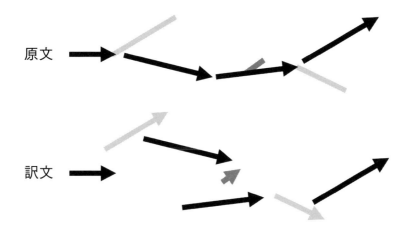

　英語の表現形式にひきずられつつ、英語の1文目を2文に訳すと、本筋の話が上に向けて流れているように感じられ、次の文が2文目の終わりにつながるのか（形式的にはこっち）、原文と同じく1文目の最後からつ

ながるものなのか（意味的にはこっち）、読者が迷う訳文になってしまいます。また原文の3文目などは、その文だけわかりやすくと3文に切って訳すと、どれが本筋の話なのか、どこがどことつながっているのか、ありうるパターンが多すぎて読者はわけがわからなくなります。そこまで混乱すれば、原文の3文目の訳では後ろ側の関連情報から最後の文につながるように読めてしまうおそれさえ生まれかねません（原文とまるで違う読み方をされてしまう）。

　私と一緒に翻訳フォーラムの共同主宰をしている高橋さきのさんは、こういう訳し方を「ぶちぶち訳」と呼んでいます。

　これはまずい。せめて次くらいまでは持っていく必要があります。

話の流れ方── 英日翻訳（最低目標）

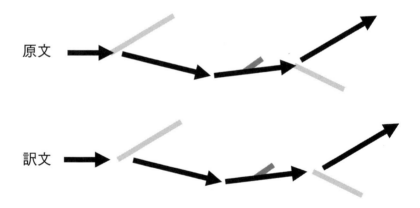

　ひとつ前と同じように、関連情報部分を切って訳しても、日本語らしい表現を駆使してがんばれば、このくらいにはできることが多いし、そのくらいはせめてやらなければなりません。ただ、脇道にそれた話を本筋に戻すマーカーが日本語にはあまりないので、脇道から本筋に戻る部分で読者が迷子になりがちです。

　というわけで、できれば、次のように日本語らしい話の展開まで持っ

ていきたいところです。

話の流れ方—— 英日翻訳（最終目標）

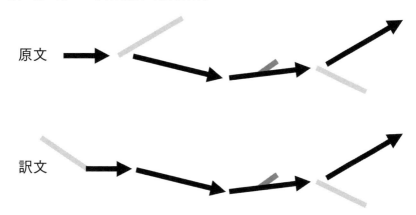

「切ってはいけない」のではなく、「ここは脇道、ここから本筋に戻る」ということをなにがしかのマーカーでうまく提示できれば切ってもいいわけです。逆に言えば、そのあたりがちゃんとできているかの確認が必ず必要になります。原文の読者と同じ絵が見えるか、同じ動きが思い描けるかを考えなければならないのです。そして、本筋に戻ると示すのが難しい場合には、関連情報を先に説明する日本語らしいパターンを織りまぜるなどすることも必要になります。

「ヒトゴト感」がにじんでいないか？

　翻訳で話の流れを調整するというのは、意外にやりにくいものです。特に日本語は柔軟性が高く、英語をすなおに訳しただけで「まちがってはいない」日本語にはなってしまいますから。そのとき、まちがってはいないけど、英語が透けて見える日本語になってしまっている、日本語としては悪文になってしまっていると気づくこと、さらに、流れを調整すれば日本語らしい日本語にできると気づくこと自体が、まず、なかな

127

かできません。ふつうの日本語とおかしな日本語の両極端だけなら簡単に気づけますが、現実はグラデーションで切れ目なくつながっていますから、ここまではいいのか、いや、ここはもうダメなのかと悩むことになります。気づいたら気づいたで、なにをどこまで調整するのかも微妙な問題です。なにせ「翻訳」ですから、原文にない勝手なことは書けません。

　わかりやすい例をひとつご紹介しましょう。出典は、『トイ・ストーリー』を作っていたころのPIXARについて、最高財務責任者（CFO）だった人物が記した『PIXAR〈ピクサー〉世界一のアニメーション企業の今まで語られなかったお金の話』（文響社）です。取りあげるのは、序盤で著者がスティーブ・ジョブズと初めて会う場面。電話でPIXARへの転職を打診された著者が、さんざん迷ったすえ、ともかく会ってみようと、当時、ジョブズが経営していたもうひとつの会社、ネクストに出向いたところです。

■原文

Our meeting was in NeXT Computer's ostentatious headquarters in Redwood City, California, where, upon arrival, I was ushered into Steve's office. Rising from behind a commanding, book-strewn desk, wearing his trademark blue jeans, black turtleneck, and sneakers, Steve, a few years my senior, greeted me like he had been waiting to see me for years.

　整理が必要だなと思ったのは、"Rising from behind a commanding, book-strewn desk..."の一文です。ひとつ前の文から訳してみましょう。

■ありがちな訳文 1

> 面談の場所はカリフォルニア州レッドウッドシティーにあるネクストの華麗な本社で、着くとすぐ、スティーブの執務室に案内された。私よりちょっと年上のスティーブは、ブルージーンズに黒のハイネック、スニーカーといういつものいでたちで、本がばらばらと散る立派な机の向こうから立ち上がると、何年も待っていた友人のように私を出迎えてくれた。

　書かれている英語をそのまますなおに訳したものです。まちがってはいませんし、これでよしとする翻訳者も少なくないでしょう。

　ですが、英語を読んだときと印象はかなり違います。英語は著者視点で臨場感があります。自分が著者の立場でその場にいるように感じられるのです。対して訳文は説明的、俯瞰寄りで臨場感が薄く、ヒトゴト感がにじんでいます。だらだらと冗長になってしまっているようにも感じます。

　原文の形式にひきずられた結果、この文が果たすべき役割を果たせない訳文、絵がきちんと描けていない訳文になっている、翻訳時にニュアンスを取りこぼしてしまったとでも言えばいいでしょうか。

　「私よりちょっと年上のスティーブは……何年も待っていた友人のように私を出迎えてくれた」という本筋を示す部分のあいだに部屋の状況や服装など補足情報が山のようにはさまれていることが問題なのでしょう。

　というわけで、補足情報を別文に仕立ててみました。

■ありがちな訳文2（補足情報）

> 面談の場所はカリフォルニア州レッドウッドシティーにあるネクストの華麗な本社で、着くとすぐ、スティーブの執務室に案内された。立派な机に座っていたスティーブが立ち上がる。机には本が乱雑に散らばっている。スティーブの服装は、有名なブルージーンズに黒のハイネック、スニーカーだ。少し年長のスティーブは、何年も待っていた友人のように私を出迎えてくれた。

切ったので当然ですが、一文一文が短くなっています。このほうが読みやすいと思う人もいるでしょう。文章の書き方といった本でも、「文は短くしろ」とよく言われていますし。

短くした効果はほかにもあります。よく言えば、著者の目に入った情報がひとつずつ並んでいて臨場感があるのです（著者の視線を追える）。

ですが、悪く言えば、とっちらかっていて、まとまりがありません。これも、高橋さきのさんが言う「ぶちぶち訳」です。

原因は、情報の並べ方に意図が感じられないからでしょう。「なんでもいいからとにかく並べました〜」としか感じられないのです。もちろん、原文はすっきりまとまっています。つまり、これはこれで、ニュアンスを取りこぼした訳文になってしまっているわけです。

補足部分の最後、「スニーカーだ」から本筋に戻った「少し年長のスティーブは〜」へのつながりもよくありません。その前が補足だというマーカーも特にありませんし、補足から本筋に戻るよというマーカーも特にないからです。こういうマーカーを足せばいいというのもちょっと思いつきません。日本語はそういう機能があまり発達していませんから。

では、どう整理すればいいのか。問題の一文は視覚的です。ですから、原文に描かれている状況を思い浮かべ、同じ絵を訳文でも描かなけ

ればいけません。

原文をそのまま絵にしてみたなら？

- **著者がピックアップした内容とその順番**

  （机に座っていた）スティーブが立ち上がった

  スティーブの位置は机の向こう側

  机は重厚

  机には本が何冊も散らばっている

  スティーブの服装は、トレードマークにもなっているブルージーンズに黒のハイネック、スニーカー

  スティーブは私（著者）より少し年上

  すごく親しげに出迎えてくれた

- **著者が言いたいことは？**

  スティーブが（立ち上がって）すごく親しげに出迎えてくれた

　原文では、英語という言語の特徴を生かせる順番で前記の内容を並べています。それを翻訳して日本語にするのであれば、日本語という言語の特徴を生かせる順番に並べ替えてかまわない。いや、並べ替えなければならない。というわけで、私なりに整理してみたのが次の訳文です。

■井口訳

面談の場所はカリフォルニア州レッドウッドシティーにあるネクストの華麗な本社で、着くとすぐ、スティーブの執務室に案内された。大きな机には本がたくさん散らばっている。スティーブは、例によって例のごとくブルージーンズに黒のハイネック、スニーカーといういでたちだ。数歳年上のスティーブは、立ちあがると、何年も待っていた友人のように私を出迎えてくれた。

さて、3種類の訳文ができました。どれがお好みでしょうか。

どの "think different" が心に刺さるか？

　もうひとつ、アップルの「think different」広告について、3種類の訳をご紹介しましょう。アップルが日本語版で使ったいわゆる公式訳、アップルやジョブズ関連で有名なITジャーナリスト、林信行さんの訳、私の訳です。こちらも、人によって好みがわかれるでしょう。

■英語版

Here's to the crazy ones. The misfits. The rebels. The troublemakers. The round pegs in the square holes. The ones who see things differently. They're not fond of rules. And they have no respect for the status quo. You can quote them, disagree with them, glorify or vilify them. About the only thing you can't do is ignore them. Because they change things. They push the human race forward. And while some may see them as the crazy ones, we see genius. Because the people who are crazy enough to think they can change the world are the ones who do.

■アップルが日本語版で使った訳

クレージーな人たちがいる。反逆者、厄介者と呼ばれる人たち。四角い穴に丸い杭を打ち込むように、物事をまるで違う目で見る人たち。彼らは規則を嫌う。彼らは現状を肯定しない。彼らの言葉に心を打たれる人がいる。反対する人も、称賛する人もけなす人もいる。しかし、彼らを無視することは誰にもできない。なぜなら、彼らは物事を変えたからだ。彼らは人間を前進させた。彼らはクレー

ジーと言われるが、私たちは天才だと思う。自分が世界を変えられると本気で信じる人たちこそが、本当に世界を変えているのだから。

■林信行さんの訳

クレージーな人達に祝杯をあげよう。厄介者、反逆者、トラブルメーカー、四角い穴に打ち込まれた丸い杭。世の中を違った目で見つめる人々。彼らはルールを嫌い、現状を肯定しない。誉めるのも、反論するのも、引用するのも、信じないことも、讃えることも、けなすこともあなたの自由だ。ただ、1つだけできないのは、彼らを無視すること。なぜなら、彼らは物ごとを変えてしまうからだ。彼らは人類を先へと押し進める。人によっては彼らをクレージーだと言うかもしれないが、我々は彼らを天才だと思う。なぜなら、世界を変えられると本当に信じている人達こそが、世界を変えているのだから。

■井口訳

クレージーな人たちに乾杯。はみ出し者。反逆者。厄介者。変わり者。ものごとが世間と違って見える人。ルールなどわずらわしいだけの人。現状など気にもしない人。彼らを引き合いに出すことはできる。否定することもできる。たたえることもけなすこともできる。できないのはおそらくただひとつ──彼らを無視すること。なぜなら彼らは物事を変える人だから。人類を前に進める人だから。彼らをおかしいと評する人もいるけれど、我々はそこに天才の姿を見る。なぜなら、世界を変えられると信じるほどおかしな人こそ、

> 本当に世界を変える人なのだから。

　アップルが実際に日本語版で使ったものは、翻訳後、日本語における
インパクトを考え、日本語としてのリライトがおこなわれて作られたも
ののはずです。単なる翻訳ではないので、"Here's to the crazy ones"の意
味が違うとか"The misfits"がなくなっているとか、そういう視点で見る
のは見当違いです。

　逆に言えば、誰かひとりが訳しただけでなく、広告代理店の人たちが
何人もでたたいて作ったはずのものなわけです。費用も人手もかけて完
成度を高めたものとも言え、インパクトは、この1番目が格段に大きく
て当然のはずです。

　2番目にあげた林信行さんの訳は、ロングバージョンから当該部分を
抜き出したものです。翻訳というのは一対一対応するものではないの
で、一部を取りのぞくとその前後をいろいろと調整しなければならなく
なったりします。今回の訳について林さんがどうされるかはわかりませ
んが、一応、そのあたりを割り引く必要性がありうるのだという点は指
摘しておきます。

　私の訳は、『驚異のプレゼン』を訳したときに作ったものです。初版
はこの訳で出ていますが、その後、アップルが作った日本語版がみつか
ったため、途中から1番目のアップル訳にかえています。書籍中でアッ
プルの広告として紹介されている部分だったので、実際に使われたもの
を優先すべきと判断したからです。『驚異のイノベーション』、『スティ
ーブ・ジョブズ』は最初からアップル訳になっています。

　"The round pegs in the square holes"は一応、慣用句なのですが、アップ
ル訳や林訳のように字義通りに訳してもいいんじゃないかと思います。
なんとなく雰囲気はわかりますからね。私は、短くたたみかけることで
インパクトを出そうと考えたので、その意味するところのみを短く出す
ことにしましたが。

　「think different」広告の自分の訳、じつはけっこう気に入っています。

ただ、一点、「反逆者」がイマイチなんですよね。見た目ではいいんですが、これ、ナレーションで読まれるわけです。そうすると、「はみ出し者。反逆者。厄介者。変わり者」で反逆者だけが「シャ」と読み方が違ってしまうのがなんともよくなくて。者を「モノ」と読む単語でrebelsを表そうとだいぶ苦労をしましたが、どうしても思いつきませんでした。強いて挙げるなら「かぶき者」ですが、一般的とは言いがたく、さすがに無理がありすぎます。また、「反逆する者」とすると、これまた前後とここだけ構造が違ってしまいます。「反逆者」を使うなら、列挙の最初か最後にもってくると変化が1回だけになるので、多少はいいかもしれません。

　このように翻訳というのは訳す人によって、訳の方針によって、かなり違ったものとなります。

　このあたり、原著が楽譜で翻訳者は演奏者だと表現されることもあります。楽譜が同じでも演奏は人によって大きく異なるように、翻訳も人によって大きく異なるし、そういうものだ、と。

　翻訳の良し悪しは、演奏の良し悪しと一緒で、最後は読み手との相性で決まることになります。プロの翻訳としていいか悪いかという判断は、「幅広い人と相性のよい翻訳がいい、ごく一部の人としか相性がよくない翻訳は悪い」と考えればいいのではないでしょうか。

翻訳者に不可欠なのは日本語の勉強

フィギュアスケートと翻訳

　ちょっと脱線して昔話をします。前にも触れたように、私は、昔、フィギュアスケートの選手でした。はい、あの、飛んだり跳ねたり踊ったりのフィギュアスケートです。いまでもかなり珍しい存在ですし、特に昔は男子でフィギュアスケートなんてありえないと言われるくらいでし

た。ともかく、小学校の5年生から24歳まで14年間（ただし高校3年は受験でお休み）、選手生活をしたので、それなりのところまでは行きました。具体的には、男子シングルで国体4位、全日本12位、アイスダンスで全日本4位といったところです。

当時のフィギュアスケートは採点方法がいまと違って基準があいまいで、審判によって評価が違うことがよくありました。そうなると、「低い点数をつける審判はひどい」と思ったりします。でも、私を教えてくれた人（審判をしている人）は、こう言っていました。

「審判を惑わすような演技をするお前が悪い」

いいところもあるが悪いところもある演技だと、いいところを高く買う人と悪いところが気になる人で点数が割れてしまう。だれも文句のつけようがない演技なら全員が高い点をつけてくれる。悪いところはなくせ。いいところは伸ばせ。そういう意味でしょう。

こういう競技を何年もしていたことが、いま、翻訳の役にたっています。翻訳も、明確な誤訳はあるけど正解はひとつじゃないし、こちらの正解とあちらの正解、どちらがいいかは人によって好みがわかれたりします。気になるポイントも読み手ごとに千差万別です。その中で、どうでもいいところの減点は避けつつ、自分の個性を出していく。フィギュアスケートも翻訳も同じだと思うのです。

もうひとつ、根が体育会系になったのもよかったと思っています。なにごとも練習しなければ身につかないし、ある程度集中して負荷をかけないと力は伸びないと身にしみているからです。

スポーツの場合、頭で理解しても体がそのとおりに動かなければどうにもなりません。

たとえばフィギュアスケートでは、ひとつのジャンプをくり返しくり返し、練習します。ジャンプの種類やレベルにもよりますが、初めて成功するまで、半年から1年はかかります。難度の高いものなら、何年もかかったりしますし、何年練習してもできるようにならないこともあります。この練習では、「ここをこのタイミングでこう動かす」などと考

えて練習します。先生からも「ああしろ、こうしろ」とアドバイスをもらい、それを実現できるように練習します。

　そうこうしているうちに、ふと、成功することがあります。それでもまだ、練習をくり返します。初めて成功してから、練習でだいたい成功するようになるまで1年くらいはかかります。そこから試合で初めて成功するまでまた1年。そこからさらに、試合でだいたい成功するようになるまで1年から2年。ちょっと難度の高いものなら、そのくらいかかっていました。

　先生から「こうやるんだ」と習ったり、できる人の動きを見てイメージトレーニングをしたりすると、自分にもできる気がします。でも、実際に体を動かしてみるとできない。このように体を使うものは成否がはっきりするのでわかりやすいのですが、頭を使うものは「わかったつもり」と「身についた」の区別がつきにくいのでやっかいです。

　翻訳は頭を使うものなので、本で読んだりだれかの話を聞いたり、アドバイスをもらったりして頭で理解すると、できるようになった気がしてしまいます。たしかにその瞬間、その例題については「できる」でしょう。でも、そういう「技」が何百もあったとき、実際の仕事で、たくさんの引き出しから適切な技をさっと取り出して使えなければ意味がありません。そのためには、考えなくても頭と指が動くくらいに「身につける」必要があります。

　その境地に達するにはトレーニングをくり返すしかありません。あるひとつの技について、考えて考えて、くり返しくり返し、練習するのです。一通りできるようになっても練習する。「考えればできる」ではダメ。「なにも考えなくてもできる」でもダメ。「わけがわからない状況に陥ってもいつのまにかできてしまう」レベルまで練習する。そうでなければ、いつ使うべきかもわからない「技」が、必要なとき、とっさに出てくるはずがありません。

　技を適切に繰り出すには、筋肉も必要です。だから、練習の目的のひとつは、必要な筋肉をつけることにあります。

どうすれば筋肉がつくのか。いまの筋肉では無理な負荷をかけるのです。筋肉痛になるくらい負荷をかけると、「これではもたない」と体が判断し、筋線維をもっと太いものに作りかえてくれます。楽をして筋肉などつくはずがありません。

　翻訳も同じです。楽をしていたら、頭の筋肉が発達するはずなどありません。いまの自分に考えられる限界の一歩先まで考える。知恵熱が出るんじゃないかと思うくらい考える。そういう負荷をかけて初めて、翻訳に使う筋肉がつくのだと思います。

　こう思うのは、根っこが体育会系だからなのでしょう。

薄紙を重ねて塔を作る

　そうやって練習を重ねたからといって、どんどんうまくなっているという実感は得られません。そんなスピードで力はつかないからです。「スキルアップは薄紙を重ねて塔を作るようなもの」だと私は思っています。すごく時間がかかります。翻訳にかぎらず。

　毎日、一文一文を大切に訳す。そうやって仕事をしても、一日の終わりに塔が高くなった実感など得られません。ですが、少しだけ高くなったはず、薄紙1枚は積めたはずと信じて歩くしかありません。それを何年か続けたら、あ、ちょっとは塔が高くなったなと感じられると信じて。

　逆に、驚くほど速いのがスキルダウンです。「人は下りのエスカレーターに乗っている」からです。立ち止まっただけでどんどん後退してしまう。前に進んでいるつもりでも、進むスピードが遅ければ、実は後退しているかもしれない。そのくらいスキルダウンは速いのです。翻訳にかぎらず。

　ですから、スキルダウンの回復には、下降した時間よりも長い時間を必要とするのがふつうです。

　たとえば千住真理子さん。有名なバイオリニストなので、クラシックになんて興味がなくても知ってる人が多いでしょう（私もそのひとり）。

千住さんは、子どものころから18年間、毎日、バイオリンの練習をしたそうです。バイオリンのない生活など考えられないという日々。あちこちのコンクールで優秀な成績を収め、天才などと騒がれたりもしました。ところがあるとき、そのバイオリンを捨てることにしたといいます。いろいろと大変だったのでしょう。2年後、とあることをきっかけにバイオリンを再開。2年のブランクなら倍の4年で元に戻るだろうと思ったのに、練習して練習して、結局、元に戻ったと本人が感じるまで7年もの年月がかかったそうです。

2年分のスキルダウンを回復するのに3倍以上の7年もかかったという話にも驚きましたが、それほどの期間、元に戻れない自分に耐えて練習を続けた精神力もすごい。できていたことができないというのは苦しいものです。その苦しみに耐えて7年も練習を続けるなんて、凡人にはとてもできません。

少なくとも私はできる自信がありません。だから、スキルダウンの原因になりそうなことには手を出さないことにしています。最近は機械翻訳が進歩していて、機械翻訳をツールとして使う人もいるようですが、私は使いません。考える部分を機械にやらせたら下りのエスカレーターで急降下してしまうと思うからです。

「の」の6連続ジャンプ

易しく思える基礎技術も練習しないとほんとうに身につきません。

たとえば「の」の連続。読みにくい文章になるから「の」のくり返しは避けろとよく言われます。ですから、翻訳者向けのセミナーでこの話を知っているかと問うと、会場のほぼ全員が手をあげます。続けて「気をつけている人」と問うと、ほぼ全員の手があがったままです。でも「できている人」では、たいがい、全員の手が下がってしまいます。当たり前です。「気をつけている」は「気をつけないとできない」、すなわち「できていない」のですから。

私も昔は「の」の連続をいっぱい書いていました。6連続までやらか

しています。

この手法により、将来のエネルギー開発や二酸化炭素放出量の解析
への、「トップ・ダウン」と「ボトム・ダウン」の両方のアプロー
チの特性を捉えることができる。

これではいけないと、1998年ごろ、集中的に練習して減らしました。

連続する「の」の出現回数が減ってくる

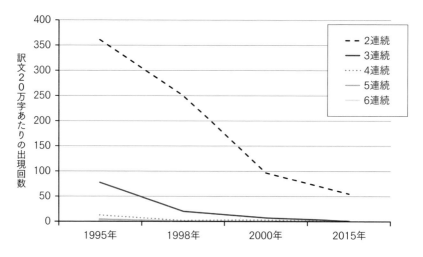

「の」の連続回数	1995 年	1998 年	2000 年	2015 年
2 連続	360	250	97	54
3 連続	77	20	7	0
4 連続	12	1	2	0
5 連続	4	0	0	0
6 連続	1	0	0	0

「の」が続いたらたとえ2連続でも書き換えをトライしたのです。そし
て、書き換えたものと「の」が続くものを見比べ、いいほうを選ぶ。こ
れをくり返していると、だんだん、「の」を連続で書いてしまうことが
減ってきます。そして、ほぼ身についたと思ったところで、別の練習へ

と進みました。「の」の連続を避ける練習をしたのは、半年か1年くらい
でしょう。以来、「の」の連続については特に気にせず訳しています。

　この「の」の連続、どのくらいやらかしてしまうかは翻訳者によって
大きく違います。たまたま数人のデータが得られたので比べてみまし
た。

「の」が連続する回数── 翻訳者による違い

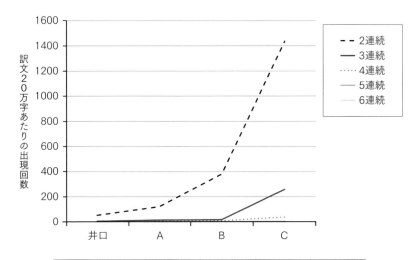

「の」の連続回数	井口	A	B	C
2 連続	54	122	380	1428
3 連続	0	5	18	259
4 連続	0	0	1	37
5 連続	0	0	0	0
6 連続	0	0	0	0

　訳文20万字というのは厚めのビジネス書1冊、300ページ分くらいに
あたります。その中で一番少ない私は2連続が50回ほど、つまり、6ペ
ージに1回くらいしか出てきません。対して、一番多い人は1400回ほ
ど、つまり、1ページに5回近く出てくることになります。

　ちなみに、「の」のくり返しが読みにくくなるのは、「の」が多機能で
さまざまな関係を表せるからです。「の」を国語辞典で引いてみると、

たくさんの役割が載っています。辞書によっては20以上も列挙してあったりします。ひとつだけでも、そのどの意味で使われているのか、読者は瞬間的に判断しなければならないわけです。それがふたつあれば、組み合わせは500近くに達しますし、さらに、「(AのB)のC」なのか「Aの（BのC）」なのかという問題もあります。つまり、2連続でも、実は、1000通りほどから正しいものを選ぶという大変な作業になるのです。そのくらいそれなりにできてしまうというのは驚異ですが、ともかく、読者に負担がかかることはまちがいありません。

　先日、仕事で確認したとある企業のウェブページは「私たちのXX加工の問題点」と題されていました（英語版は"Our XX Problem"）。ここに出てくるふたつ「の」はどういう意味なのでしょうか。
「(私たちのXX加工)の問題点」だと考えれば、ひとつめの「の」は「私たちが採用しているXX加工」などでしょう。そして、ふたつめの「の」は「そういうXX加工がはらんでいる／に伴う／がもたらす問題点」あたりでしょうか。
「私たちの（XX加工の問題点）」だと考えても、ふたつめの「の」は「そういうXX加工がはらんでいる／に伴う／がもたらす問題点」になるでしょう。ですが、ひとつめは、「私たちが直面している問題点」という意味になるのではないでしょうか。
　どちらが正しいのかは、当該ウェブページを読めばわかるはずです。でも逆に言えば、中身を読んでなにが言いたいのかがわからなければ、この表題を正しく解釈することはできません。
「の」が連なると、こういう問題が起きてしまうのです。
　でも、「の」がそれこそ三つも四つも連なっていても、特に問題なく読めてしまう場合があります。具体的には、明鏡国語辞典（第三版）に「続く体現が表す『相対的な関係』の基準を表す」として示されている「部分に対する全体を表す」意味の「の」であれば、連続しても大丈夫なのだと私は考えています。たとえば「服の袖の先のボタン穴」みたい

な形です。

「は」と「が」、どちらを選ぶか？

　翻訳者というと英語を勉強しているイメージがあると思いますが、実は、日本語文法もずいぶんと勉強しました（いまもまだ勉強を続けている）。私は日本語が母語ですからそれなりには使えるわけですが、きちんとした文章を書きたければ、やはり、基礎から勉強する必要があります。なんとなく書いたものと、こういう理由があるからここはこうすると組み上げた文章はやはり違うのです。

　さらに、翻訳の場合、なんとなくで文章を書くと、原文に引きずられてしまうという問題があります。特に英語から日本語ではこの問題が強く出がちです。英語と日本語はかなり大きく違いますし、日本語は柔軟性が高いので、英語に引きずられても文法的に破綻のない文章が作れてしまうからです。

　たとえば「は」と「が」の使い方。

「が」は主格を表す格助詞ですが、「は」は「～について語るなら……」という感じでテーマを提示する係助詞だなどと言われます。要するに機能がまるで異なり、「は」か「が」かというよくある議論ですむような話ではないということです。

　英語から日本語の翻訳で英語の主語を日本語では「は」か「が」で受けて文章を組み立てれば、あまり考えることなく機械的に訳せるので楽です。ですが、とても読みにくい日本語になってしまいます。英語は第三者が見ているかのように描写するのが基本であるのに対し、日本語は当事者の視点から物事を描写することが多いからです。英語の文章構造そのままの日本語にすると、視点があっちの人からこっちの人と揺れ動き、理解しづらくなってしまいます。逆に日本語はだれの視点で書くのかをうまく整理すると、複数の文から主格を消せることがよくあります。たとえば、次のようなことが起きるのです。

「AさんがBさんにこう言った。これにBさんがAさんにこう反論した。

そうしたらAさんがBさんに殴りかかった」

　英語は、動作主体を主語にするのが基本なので、それをそのまま訳すとこんな感じになりがちです。でも、日本語で書き起こすなら、次のようになることが多いでしょう。

「Aさんにこう言われた。だからこう言い返したら殴られてしまった」
「Bさんにこう言ったらこう言い返されたので、殴ってしまった」

　つまりうまく整理すると、読んでもらわなければならない量ががっくり減るわけです。私はこれをテトリスと呼んでいます。ピースをうまく組み合わせれば、複数段をごっそり消せるというわけです。

　これはかなりややこしい処理なので、2005年から2006年にかけ、2年近く練習しました。

　視点を整理するとき大事になるのは、「は」です。

「は」は「。」を越えて先々の文にまで影響をおよぼします。たとえば夏目漱石、『吾輩は猫である』の冒頭、「吾輩は猫である。名前はまだ無い。どこで生れたか頓と見当がつかぬ。何でも薄暗いじめじめした所でニャーニャー泣いていた事だけは記憶している」で、第2文以降も動作主体は「吾輩は」です。

　そういう意味で「は」は「が」より強力ですし、強力であればどこでも使えて便利でもあります。でも同時に、強力であるがゆえに、一度使うと、その効果を打ち消すために後ろの文も「は」にしなければならなくなって、「は」だらけの文章ができてしまいます。そうなると、視点をそろえるもへったくれもなくなります。言い換えれば、「は」が便利なのは書き手にとってです。「の」と同じで書き手にとって便利なものは、読み手にとっては負担になりがちです。

「は」はなるべく少なくしたほうが読者に優しい文章になります。

"all" はなんの「すべて」なのか？

　文章の書き方を指南する近藤康太郎著『三行で撃つ〈善く、生きる〉ための文章塾』（CCCメディアハウス、以下『三行で撃つ』）に、よく

ない日本語の例として「違法な野生動物の売買」というフレーズが挙げられていました。これ、「違法な（野生動物の売買）」と読ませたいはずなのですが、「違法な野生動物」まで読んだところで「そんな野生動物、いるのか？」と思ってしまう読者がいてもおかしくありません。文法的に複数の読み方ができてしまい、内容まで考えないとどれが正しいのか判断ができないのです。読み手にいらぬ負担をかける文だと言ってもいいでしょう。

　対策は簡単で、「野生動物の違法な売買」とするだけです。文章作法の本などでよく言われる「修飾語と被修飾語は近づけろ」というパターン。『三行で撃つ』でもそのように解説されています（余談ながら、私としては「野生動物の違法売買」にしたい）。

　こんなふうに読み方が文法的に複数ありえて、内容がわからないと正しく解釈できない本末転倒な文になってしまうことは意外によくあります。書くときは当然に内容がわかっているので、やらかしても気づきません。また翻訳の場合はなおさらで、原文に引きずられ、そういう文を書きがちですし、原文にそう書いてあるからと気づかずに流しがちです。だから私は、「原文は親切に読む。訳文はいじわるに読む」と心で唱えながら翻訳するようにしていますし、後半は、本書のようになにかを書く際にも心がけるようにしています。こういう「内容読み」で読者に負担をかけたくないと思うからです。

　さらに言えば、そういう原文に引きずられた翻訳が世の中に氾濫しているからか、だんだんと、一から日本語で書いてもそう表現する人が増えるということまで起きています。

　たとえば、よく見るので気にならない人が多いのでしょうけど、実はおかしいと思う表現に「オリンピックに参加するすべての選手」があります。英語と日本語の対応だけを考えて"all the athletes competing in the Olympic Games"を訳すとこうなるわけで、原文に引きずられた訳が浸透してしまった例ではないかと私は見ています。

　パーツに分けてかかり方を考えてみましょう。パーツは「（オリンピ

145

ックに参加する）（すべての）（選手）」であり、「オリンピックに参加するすべて」というまとまりでは意味をなさないので、かかり方としては「オリンピックに参加する」も「すべての」も「選手」にかかるしかありません。

「すべての選手」とはなんでしょう。選手と呼ばれる人々、全員を指す言葉です。つまり、オリンピックに参加しない人も含まれます。対して「オリンピックに参加する選手」は選手のうち、オリンピックに参加する人だけを指しています。こう考えてくると、もとの「オリンピックに参加するすべての選手」で言いたいことは「すべての（オリンピックに参加する選手）」のはずだということがわかります。「オリンピックに参加する」と「すべての」の順番が逆なわけです。

　というわけで、「すべてのオリンピックに参加する選手」と逆にすると、こんどは、「違法な野生動物の売買」と同じく「すべてのオリンピック」でひとまとめと読まれるおそれが出てしまいます。これをなんとかしたければ「すべての、オリンピックに参加する選手」とテンを入れる必要があります。本多勝一さんの『日本語の作文技術』（朝日新聞出版）に書かれているように、修飾語は長いものから順に並べるのが原則でそれを逆順にする場合はテンをうつ、なわけです。でもそうすると、なんとも不格好で読みにくくなってしまいます。かといって、長いものから順に並べると最初の「オリンピックに参加するすべての選手」になってしまいます。

　いわゆる原則に従っても、形式と意味にズレが生じてしまうという困った例です。というか、本当のところは、長いものから順に並べるという原則で処理できるのは、次のように、（すべての）と（オリンピックに参加する）が並列な関係である場合なのです。

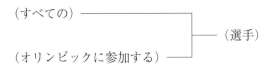

146

　対してここの修飾関係は、（選手）を（オリンピックに参加する）が修飾し、その全体、（オリンピックに参加する（選手））を（すべての）が修飾するという形です。修飾によってひとかたまりになる部分をカッコで囲むと、次のように入れ子となっています。

（すべての（オリンピックに参加する（選手）））

　と、こう書いてくると、「いやいやいや、これはそういう表現なんだ。この表現はこう解釈するもの。だからこれでいいんだ」と思う方もおられるでしょう。

　では「オリンピックに参加するすべての選手」と同じパターン、「地球に住むすべての人」という表現について考えてみましょう（ウェブサイトなどでけっこうよく使われている表現です）。解釈がひとつしかありえないのなら、これも「すべての人」の一部が「地球に住む人」であり、「すべての（地球に住む人）」と読まなければならないはずです。でもそれは違いますよね。「地球に住む人」＝「すべての人」であり、「地球に住む（すべての人）」というかかり方、「地球に住んでいるところの（すべての人）」という意味のはずです。宇宙ステーションにいる人は除きたいというような特殊ケースでもないかぎり。

「オリンピックに参加するすべての選手」も「地球に住むすべての人」も、英語なら"all the 〜 ××ing 前置詞 the ○○"と同じ表現になります。「〜する人」までを定冠詞でひとまとめにした上で、その全員だからねとallを頭に付けるわけです。文法的なかかり方も同じなら、解釈のパターンも同じで、それぞれにきちんと意味が取れます。でも日本語だと、状況に応じて訳を変えないといけません。「オリンピックに参加するすべての選手」は、たとえば次のような形が考えられるでしょう。

- オリンピックに参加する選手（は）すべて
- オリンピックに参加する選手（は）全員
- オリンピックに参加する選手はもれなく
- オリンピックに参加する選手なら
- 選手としてオリンピックに参加するのであれば
- オリンピック選手なら
- すべてのオリンピック選手

　実は、「すべての」はこういう問題が起きがちな言葉です。すべての「すべての」は疑い、基本的に書き換えるべきだと思うほどに。

　特に翻訳の場合、"all"を安易に「すべての」と訳すと誤訳になることが珍しくありません。"not all 〜"は「〜のすべてがそうであるわけではない」という部分否定なのに、安易に訳すと「すべての〜が違う」と全否定になってしまうのです（残念ながらよく見るパターンでもある）。ちなみに、"not all 〜"の訳し方としては、「〜のすべてがそうであるわけではない」のほかに「〜であるとはかぎらない」「〜でないものもある」など、さまざまな表現がありえます。

many peopleは、「たくさんの人」か「人がたくさん」か？

「すべての〜」と「〜すべて」について考えるたび、連想で思い出すのが、「many peopleは、『たくさんの人』か『人がたくさん』か問題」です。英語はmanyを前に置く形しかありませんが、日本語は数量を表す言葉を前に置くパターンと後ろに持っていくパターンがあります。勉強会でこの点を取りあげたら「そんなのどうでもいいじゃん。同じだよ」って言われたことがありますが、私は、微妙な違いがあると思っています。

「店に入ると、3人のサラリーマンがいた」……この3人をひとまとめにとらえている（3人がグループである、客がこの3人のみなど）。

「店に入ると、サラリーマンが3人いた」……サラリーマンが3人いると

いう事実以外はなにも語っていない。3人はグループかもしれないしグループじゃないかもしれない。ほかの客はいるかもしれないしいないかもしれない。

　3人に視点が当たっているのかサラリーマンに視点が当たっているのかの違いなのではないかと思っているのですが、正直なところ、いまだによくわかっていません。それも無理のないことではあるようです。

　川添 愛著『ふだん使いの言語学：「ことばの基礎力」を鍛えるヒント』（新潮社、以下『ふだん使いの言語学』）によると、このあたりの違いは微妙で「言葉で表すのが難しく、言語学でも長年考えられている問題」だそうですから。

『ふだん使いの言語学』には、数量を表す言葉が前にあるか後ろにあるかで大きく異なる例がいくつか紹介されています。ひとつだけ紹介しましょう。

「この土地は、東京ドームが二つ入る広さだ」

「この土地は、二つの東京ドームが入る広さだ」

　前者は自然だが、後者は、「東京ドームが二つあるんか～い」とツッコミを入れたくなる不自然な文だとのこと。言われてみればそのとおりだと思います。

「主語を明示する」英語と「人がにじむ」日本語

　英語と日本語の違いはほかにもいろいろとあります。

　英語は「原因が結果をもたらす」という組み立てが多く、対して日本語は「人がにじむ」、つまり、「だれかがなにかをした」となることが多いというのもそのひとつです。日本語は述語だけで文が成立し、その述語で表されていることをする主体は明示されないケースが多いからです。「今日、ご飯を食べた」なら食べたのはこう言っている本人ですよね。こんな感じで、示されてはいないけど、人の存在が感じられるものを「人がにじむ」と私は表現しているわけです。

　翻訳で問題になるのは、英語の構造そのままの日本語にするとヒトゴ

トになってしまうこと。たとえば企業がパンフレットで新製品の説明をするとき、「このたび、Aという新製品が発売になりました。Aはこれこれができるように設計されています」と書くのが英語、「このたび、Aという新製品を発売しました。Aはこれこれができるように設計しました」と書くのが日本語というイメージです。

英語は大げさだというのも翻訳で問題になります。こんなにすごいんだよとたくさん付けてある形容詞をすべて、辞書にあるような訳語を使って日本語に組み込んだら胸焼けがしてしまいます。ジョブズが愛したという大トロばかり食べているイメージです。

強調したいところが強調にならないという問題も起きてしまいます。全編、大声で怒鳴っているような文章では、強調しようとさらに声を張り上げてもめだちません。もっと抑えた筆致を基本にして、強調する部分は基本との落差で表現しないといけないのです。

フィギュアスケートでも、音楽を表現しようとしているのか手をやたらと動かす選手がいますが、それはうるさいだけです。そのあたり、すごく上手なのが羽生結弦くん。彼は手をあまり動かしません。基本姿勢で滑っている時間が実は長いのです。ですが、音に合わせ、要所要所で少しだけ鋭く動かし、ビシッと止めたりします。静と動の対比で表現しているわけです。言葉も同じです。

こういう違い以前にもっと大きな違いもあります。英語は、文の構成要素を略すことはできないし、その順番もだいたい決まっていて、ひとつずつ完全な文にしなければなりません。そのために形式主語などというわけのわからないものまで発明しているくらいです。対して日本語は、必要最低限だけ表に出せば文になってしまいます。

不必要なことまで書かなければならない英語と必要なことしか書かない日本語と言ってもいいでしょう。

日本語は、「言わなくてもわかるところは省略していい」とよく言われますし、それと「必要なことだけを書く」は同じだと感じられるかもしれませんが、実は大きく違います。少なくとも、我々翻訳者にとって

は大きく違います。

　英語から日本語への翻訳で考えてみます。

　英語に登場する文の構成要素を全部いったん日本語にして、その後、不要と判断したものを削っていくというやり方がありえます。実際にそうしているという話もよく聞きます。

　対して、ふつうに一から日本語を書くときの組み立て方は「必要なことだけを書いてゆく」です。

　このふたつは、両極端から中央に向かって近寄るイメージになります。これがどこかで出会うのなら、どちらの方法をとってもいいことになります。

　このふたつは同じ点に到達すると考える人が一般にも多いし、翻訳者もそう考えるのがふつうのようです。過去、翻訳者のコミュニティなどで何度か、「日本語は必要なことだけを書くもの」と問題提起してみたのですが、いつも、「言わなくてもわかる不要な部分を省略すれば同じ」という反応が返ってきました。

　でも、このふたつの方法で同じ点に到達することはありえません。少なくとも私はそう思います。理由は、中間に「どちらでもいい」部分があり、どちらの方法も、この中間部分の、自分に近い側で止まってしまうからです。

　では、翻訳をするときには、どうしたらいいのでしょう。

　ひとつは、最初に訳すとき、字面ではなく、書き手が伝えたいことを頭の中でイメージし（「絵や動きが見える」などと翻訳フォーラムの仲間は表現している）、それを日本語で書き起こすという方法があります。自然な日本語になりやすい半面、うっかりすると内容レベル・情報レベルで原文とまったく違う勝手訳になってしまう危険をはらむ方法です。この方法をとるなら、訳文を書いたあと、原文と訳文の部分部分について対応を確認しなければいけません（ちなみに私はこちらのタイプ）。

　もうひとつは、要・不要の判断力を極限まで磨くこと。「どちらでも

いい」部分をごく狭くすることができれば、「必要なことだけを書く」との違いが実質的になくなるでしょう。

ナポレオンはなぜ「赤いサスペンダー」をしているのか？

なにをどこまで訳文に書くのかについては、もうひとつ、考えておくべき点があります。ナポレオン問題です。

ナポレオンはいつも赤いサスペンダーをしていたそうです。なぜだと思いますか？

けっこう有名な引っかけ問題なのでご存じの方もおられるかもしれませんが、答えは「ズボンがずり落ちたら困るから」です。

これ、問題が「ナポレオンはいつもサスペンダーをしていたそうです。なぜだと思いますか？」ならわりと簡単に正解に到達できるのですが、そこに「赤い」と一言入ったとたん、みんな悩んでしまいます。「赤い」に意味があるのだろうと考え、なぜ赤なのかを悩んでしまうのです。情報や言葉を増やすと誤読を誘うことがあるわけです。

翻訳の場合、なにを書くかは原文に規定されるから気にすることなど……でしょうか。

部屋にひとりでいたら、扉が開き、"What are you doing?"と尋ねられたとします。これを次のように訳したら、印象はどう変わるでしょうか。

ナポレオン・ボナパルト
©Miho Yamanaka

「なにをしているの？」

「あなたはなにをしているの？」

「あなたは」があると非難のニュアンスが生まれます。理由は、日本語は必要なことしか表に出さない言語だから。「なにをしているの？」だけで十分なところに、わざわざ「あなたは」と付け加えると、そこになにか特別な意味があることになってしまうのです。

　庵 功雄著『日本語におけるテキストの結束性の研究』（くろしお出版）なる本では、「統語的に必須である要素が表層に存在しないことをその要素の『非出現（non-realization）』と呼び、基本的に日本語ではこの状態が無標である」と説明されています。「なにかをしている」のは「あなた」なので、「あなたは」という動作主体は「統語的に必須である要素」です。それが存在しない状態が「無標」、つまり、特段の意図がなければそうする形というわけです。これを「あなたはなにをしているの？」と明示すると「有標」となり、なにか意図がある、特別な意味があることになります。

　"What are you doing?"の訳し方では、日本語の構造を考え、単純になにをしているのか尋ねているなら前者、みんなで用事をしているときにあなたはなにをしているのかと非難する文脈なら後者を選択することになります。原文の"you"を訳出すべきか否かとか、「あなたは」はなくてもわかるから省略すべきかとか、そういう議論とは次元が異なる話なのです。

　というわけで、私は、日本語の訳文で「必要なことだけを書く」ように心がけています。さらに言えば、必要なことがなるべく少なくなるように書く、です。私の訳文が一般的なものより1割近く短いのは、このあたりが原因でしょう。

　ですが、これはけっこう怖いやり方です。「英語のこの単語はどこに消えた。訳抜けだ」などと言われかねないからです。逆に、英語に書かれている単語を全部訳出しておけば、「こう原文に書いてあるから」と

言い訳ができます。あれこれ書いてしまったほうが翻訳者にとっては安心できるのです。

　でもそれでは、文章が長くなり、読者に負担をかけることになります。プロ翻訳者であれば、自分が安心するため読者に負担を強いるのではなく、読者のことを第一に考えるべきでしょう。

　読者にとって文が長いのはよくありません。同じことを受け取れるのであれば、たくさんの文を読んで解釈しなければならないのと短く切れのいい文だけ読んですむのとを比べたら、後者がいいのは当たり前でしょう。しかも、読まなければならない文が長くなればなるほど、実際に伝わることは少なくなるのです。長ったらしい部分の解釈に力を取られ、肝心のことを取りこぼしてしまうからです。

「シンプルにするとは、必要なものの声が聞こえるように不要なものを取りのぞくことだ」——抽象派の画家、ハンス・ホフマンの言葉だそうです。至言だと思います。

「たち」や「ら」は複数なのか？

　このところの傾向として、人が複数であることを示したければ「たち」や「ら」をつければいい、みたいな感じになっているように思います。特に複数形のある外国語から日本語への翻訳では、機械的に付けてるんじゃないかと思うほどよく付いていたりします。

　これ、昔っから気になってしかたがありません。っていうか、それは違うだろうと思っています。日本語は、基本的に単複同形であり、そのまま複数を表現できる。そこにあえて「たち」「ら」を追加すると、別の意味が付加されかねない、と。翻訳であれば、複数形を「たち」「ら」などと訳すと誤訳になることさえある、と。特に、属性を示す単語に「たち」とか「ら」とか付けるのはあぶない、と。「ナポレオンの赤いサスペンダー」になってしまう、と。

　英語で"CEOs"と書いてあれば、CEOが何人もいることを示しています。ほかの可能性はありません。

それを、「CEOたちが大筋について合意し……」とか「CEOらが大筋について合意し……」などと訳したらどうなるでしょう。CEOが複数人いることを示している可能性もありますが、どちらかというと、「CEOとCOOとCTOと……など、CEOクラスの各種役職についている人が何人もいる」と取るのが自然でしょう。つまり前記の訳を読んだ人は、たとえば「CEOとCOOあたりが合意したのかな」と思ってもおかしくないわけです。

いやいや、「たち」や「ら」は複数を表すもの、それがついてるモノが複数あることを示すもの、ほかの解釈はありえないと言う方がおられたら、「自分たち」や「わたしら」はどう解釈するのか尋ねてみたいですね。自分やわたしが複数いるんでしょうか。

このあたり、セミナーでは次のようなネタで考えてもらったりします。

- 社長が集まる会議
- 社長らが集まる会議
- 社長たちが集まる会議

意味は、みんな同じでしょうか？
たとえば、次のような会話があったら？

（社員A）
　あれ？　専務は？
（社員B）
　いませんよ。今日は、社長が集まる会議の日じゃないですか。

専務さん、たぶん、この会議には出ていません。この会議に出られるのは社長だけで、専務さんには出席資格がないので（代理出席の可能性はあるが）。でも、会議に出る社長のサポートがあるのか、それとも、

社長不在の穴埋め的役割をほかで果たさなければならないのか、ともかく、なにか、会議から連想される業務があって、そういう日はいないのが当然って感じの会話なんじゃないでしょうか。

　（社員A）
　　あれ？　専務は？
　（社員B）
　　いませんよ。今日は、社長たちが集まる会議の日じゃないですか。

　これ、専務さんも会議に出席してる可能性がけっこうありますよね。会議は、その会社の社長、専務、常務なんかが集まるものかもしれませんし、いろんな会社の社長とか専務とか、経営幹部が集まるものかもしれません。でもともかく、専務にも出席資格があって、その会議に参加している可能性が高い会話でしょう。
　そうは言われても、複数であることに意味がある原文だったら、あるいは、日本語で書き下ろす場合でも複数であることに意味があるなら、複数だと明示する必要がある、そういう場合はどうするんだって思われるかもしれません。
　私は、基本、複数にしたい単語以外の部分で、複数であることを示すのが日本語だと思っています。
　たとえば、上記「社長が集まる」の社長は複数です。ひとりじゃ集まれませんからね。「歴代の社長」も複数。「後任の社長」は単数か複数か判然としませんが（基本は単数でしょう）、「後任の社長はみな……」とか「後任の社長に順次話を聞いたところ……」なら複数確定です。
　やり方はいくらでもあります。当たり前です。日本語は、長年、多くの人に使われてきたんですから。単語自体の形を変えて複数形にしなきゃいけないなんて英語的発想にとらわれさえしなければ、日本語らしいやり方で複数を示す方法に気づくはずです。

　というわけで、私は、複数であることを示すために「たち」「ら」などは使わない、を基本にしています。「たち」「ら」を付けるのは、「自分たち」「きみたち」のような場合や、あと、「デービッドたち」のような固有名詞くらいにするわけです。固有名詞やそれに準ずるものなら、そのものを含むいろいろであることが明確で誤読の危険もなければ、読者を迷わせるおそれもありませんからね。

「それ以上」でも「それ以下」でもない

　基準点を示し「〜以上」「〜以下」などと言うとき、基準となる点は入るのでしょうか、入らないのでしょうか。

　こう尋ねると、まず10人が10人、「『以上』『以下』は入る。入らないなら『超える』『未満』などを使う」と返してきます。昔、そう習ったと。私もそう習った記憶があります。

　では、「それ以上でも以下でもない」はどういう意味になるのでしょうか。「お前は人間以下だ」は？　どちらも、基準点を含まないと考えないと話がおかしくなってしまいます。また、「予想以上のでき」と「予想を超えるでき」はどうでしょう。このふたつには違いがあるのでしょうか、ないのでしょうか。

　まずは辞書を引いてみましょうか。翻訳の大先輩、山岡洋一さんがよく言われていた言葉に「たかが辞書、信じるは馬鹿、引かぬは大馬鹿」というのがあるくらいですから。

　広辞苑の「以上」には、次のように書かれていました。

> 程度・数量などについて、それより多い、または優れていること。法律・数学などでは、基準の数量を含みそれより上。「―八歳―」「中級―」「予想―のでき」

　ごく乱暴にまとめれば、「一般に基準点は含まない。特殊な領域では含む」ということになります。特殊な領域というのは、数字で表されるものや法律的な約束ごとのとき。「人間以下」とか「予想以上」とか感

覚的なもののときは入らない。

　言われてみれば、「以上」「以下」が基準点を含むというのは数学の時間に習ったことですよね。

　うん、わかった、もう大丈夫だまちがわない……そう思った人は、次のようなケースを考えてみてください。

　さきほども触れましたが、「それ以上でも以下でもない」という表現があります。これが「基準点を含まない」ことは明らかです。こういうのは感覚的な話だからね……と言うなら「このスパゲッティのベストなゆで時間は8分なんだよ。それ以上でも以下でもダメなんだ」と数字にしたらどうなるでしょうか。「それ＝8分」と数字以上、数字以下なのに、ここはやはり「含まない」となります。

　もちろん、「それ以上でも以下でもない」は慣用句であって例外という考え方もあるでしょう。では、「このスパゲッティのベストなゆで時間は8分。それ以上でも以下でもない。しかし、その後の炒め時間についてはそれほど厳密ではなく、1分以下であれば問題ない」とあったら、「1分」ちょうどは入るのか入らないのか。1分1秒、炒めたらダメだと言っているのか。

　あるいはこの例を次のようにしたら、どう、感じられるでしょうか。「このスパゲッティのベストなゆで時間は8分。それ以上でも以下でもない。しかし、その後の炒め時間についてはそれほど厳密ではなく、1分未満であれば問題ない」

　私の感覚としては、「1分未満」はちょっと変で、「1分以下」のほうが適切だと感じます。理由は、おそらく、「厳密でない」と、1分という基準点を含まない厳密な言い方である「未満」とがバッティングするからでしょう。これが「以下」であれば、厳密な意味で使われることもあるけどもともとがあいまいな表現なので、そこそこ収まりがつくのだと思います。

　さらにさらに、次のようにしたら、どうでしょう。「このスパゲッティのベストなゆで時間は8分。それ以上でも以下でも

ない。しかし、その後の炒め時間についてはそれほど厳密ではなく、1
分以下であれば問題ない。なお、当然ながら、このような作業をレスト
ランの厨房でおこなうためには調理師免許（受験資格は中卒以上、職歴
2年以上）が必要である」

　最後の「〜以上」が基準点を含むのは当然。それぞれの場所で意味を
考えれば、それなりに理解できる表現であり、おそらく、ごくふつうの
日本語として通用するはずです。

　そんな例を無理やり考えて出してこられてもと思った方は、「"1円以
下" 消費税」あたりをウェブ検索してみてください。
「1円以下の端数がどうした」と、「1円未満」の意味で「1円以下」と
書いてあるサイトが山のようにヒットします。昔、私が調べたときに
は、大手クレジットカードのサイトでさえ「1円以下の消費税は切り捨
て」と書いているところがありました。

　これ、実は翻訳ではすごく頭の痛い問題です。少なくとも英語と日本
語の翻訳ではややこしいことになります。

　日本語では、基準点を特に気にせず気軽に比較するとき、「以上」「以
下」を使うわけですが、同じとき英語では、"more than"といった基準点
を含まない表現を使うことが多いからです。つまり、基準点を特に気に
せず気軽に比較している場合、"more than"、"less than"に「以上」「以
下」が対応するという常識に反する形になるわけです。もちろん、基準
点が入るか否かに大きな意味があるケースでは、"more than"は「〜を超
える」などとしなければなりません。

　つまり、毎回、書き手は基準点を気にしているのかいないのかを「推
測」しなければならないわけです。

　どうせ基準点を気にしていないのだからあまり重要なポイントではな
く、字面に合わせて訳しても別に問題はないという考え方もあります。
一理ありますし、それでいいなら、言い訳もできるし機械的に作業がで
きるしなので翻訳者としては助かります。現実問題として、文脈に即し
て"more than"、"less than"を「以上」「以下」と訳したり、逆に日英で

「以上」「以下」を"more than"、"less than"に訳したりすると、誤訳だと指摘されて説明に手間暇がかかる上、最終的に理解してもらえない可能性さえもあります。現実的には、機械的に訳したほうが圧倒的に「楽」です。

　でも、これは「考えればわかる」訳だと私は思うんですよね。そして、「考えればわかる」のなら、「考えなくてもわかる」訳文にするのが翻訳者の仕事だとも。

なにをもって一日と言うのか？

「専門用語 vs. 日常語」で、日常語は意味範囲が広く、どの意味で使われているのかが毎回違っていたりするので訳すのが難しいという話をしました。たとえば日数。ごく日常的な言葉ですが、本当のところどういう意味なのかを考え、それをどう表現すればまちがいなく伝わるのかと考えると、どうにもわけがわからないほどややこしいことになります。

　コロナ禍が始まったころ、翻訳者仲間で議論になっていたことなのですが、「熱が"for more than four days"続いたら」の"for more than four days"はどう訳せばいいのでしょうか。字面で訳せば「4日を超える」です。4日を超えたら5日だから「5日以上」とする手も考えられます。また、「以上・以下」の議論からわかるように、「4日以上」とすべき可能性もあります。

　これだけでもややこしいのですが、そもそも、「一日」とはなにかという問題があります。

　時間は連続しています。それを適当な大きさの塊として認識するのが「一日」です。なのですが、なにをもってひとかたまりと考えるかがまたいろいろとあります。24時間、午前0時〜翌午前0時、さらには、カレンダーなど点に近い認識をするケースもあります。

　まず、点として認識するケースを考えてみましょう。

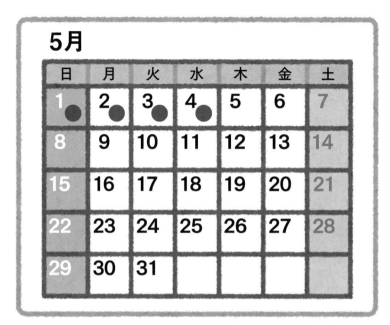

時間の経過とカレンダー

5月1日……熱があった（1日目）
5月2日……熱があった（2日目）
5月3日……熱があった（3日目）
5月4日……熱があった（4日目）

　このとき"for more than four days"は、字義どおりなら「4日を超える」
＝「5日以上」ということになり、基準点を含む・含まないで違いが生
じます。

　24時間という幅が1日だとしたらどうなるでしょう。1日目の午後3時
に計ったら熱があったとします。翌日の真夜中すぎ、午前3時に熱があ
っても、まだ、熱があるのは1日だけとなります。では、2日目の午後3
時を過ぎても熱があったらどうでしょう。これで2日でしょうか、それ

とも、熱があったのはまだ24時間ちょっと、つまりほとんど1日であって、2日となるのは3日目の午後3時にまだ熱があったときでしょうか。

前者（24時間幅の一瞬でも熱があれば1日と数える）なら、4日目にも熱があったことになるのは、4日目の午後3時を過ぎても熱があった場合になります。そして、4日を超えて熱があったことになるのは、5日目の午後3時を過ぎても熱があった場合になります。つまり、基準点を含むか否かで丸一日判断がずれるわけです。

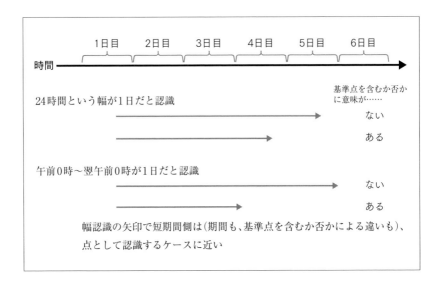

後者（24時間経過ごとに1日と数える）だと、4日目にも熱があったことになるのは、5日目の午後3時まで熱があった場合になり、5日目の午後3時を一瞬でも過ぎて熱があれば、"for more than four days"が成立します。判断のタイミングはひとつ前の例と一緒ですが、こちらは、実質的に、基準点を含むか否かに意味がありません。

午前0時〜翌午前0時を1日だと認識した場合についても、同じように、1日目の午後3時に計ったら熱があったと考えてみましょう。午前0時〜翌午前0時の1日、ずっと熱があった場合のみ、その日熱があったと

162

考えるなら、熱が出たその日はカウントされません。朝は熱がなかった
わけですから。2日目が終わっても熱があったとき、初めて、1日熱があ
ったことになるのです。こうして数えていくと、5日目の夜12時にまだ
熱があった時点で4日間となり、"for more than four days"が成立するの
は、6日目に入ってもまだ熱があったときになります。つまり、基準点
を含むか否かに意味がありません。

　では、午前0時〜翌午前0時の一部でも熱があったら1日と数えたらど
うなるでしょうか。熱があると午後3時にわかったとき、これで1日が成
立です。その日の夜12時を過ぎても熱があったら、その瞬間、2日熱が
あったことになります。このとき4日が成立するのは、3日目の夜12時
をすぎて4日目に入った瞬間です。そして、4日を超えるのは、4日目の
夜12時をすぎて5日目に入った瞬間です。つまり、こちらは、基準点を
含むか否かで丸一日判断がずれます。

　これだけいろいろな解釈がありえて、どう読むかは読み手次第です。
どうするか。

　実際にはどう運用するのか、つまり、「明日まだ熱があったら電話し
ろ」はあるけど「あと1時間熱が続いたらまた電話しろ」はないのか、
それとも、「あと1時間」というケースもあるのかを考えつつ、「〜日」
の解釈が揺れにくい工夫をこらしたバリエーションを検討してみる。そ
ういうことになるでしょう。たとえば以下のようなバリエーションで
す。

- 4日以上続いた場合
- 4日間以上続いた場合
- 丸4日以上続いた場合
- 丸4日間以上続いた場合
- 4日を超えて続いた場合
- 4日間を超えて続いた場合
- 丸4日を超えて続いた場合

- 丸4日間を超えて続いた場合
- 丸4日続いた場合
- 4日続いた場合
- 四日四晩続いた場合
- 4日たっても熱が下がらない場合
- 発熱から4日目にまだ熱がある場合
- ……

いや、翻訳者って、ほんと、めんどくさい人種ですね。

翻訳は趣味も遊びも生きる世界

フィギュアの採点をプログラミングする

　ここまで英語と日本語について書いてきましたが、翻訳という仕事はありとあらゆる経験が役に（訳に？）たつ世界です。

　私は小さいころから趣味でいろいろなものを作ってきました。出版翻訳の道に足を踏み入れたきっかけは山岡さんが「ビジネスに加えて技術もわかる」と推薦してくださったからだと書きましたが、それは趣味のたまものだったわけです。

　たとえば小学生のとき、新聞受けを作ったりしています。板の合わせが悪く、すきまだらけのひどいできでしたが、うちの両親は、それを玄関脇に置いて使ってくれていました。

　中学では、乾電池の電圧を昇圧する回路をせっけんのケースにいれ、手に持つとビリッとしびれるおもちゃを作りました。これは悪ガキ仲間に大人気となり、結局、数個作ることになったのを覚えています（こんなことをしていたので、若いころいたずら好きだったというジョブズの逸話に親近感を覚えてしまう）。

　高校では、無線機を作ったほか、エレクトロニクスについてそれなり

に学び、回路の改造くらいはできるようになりました。

　またこのころ、週末に秋葉原まで、部品調達の遠征をよくしました。当時の秋葉原は萌えの街ではなく、どころかパソコンの街でも電気製品の街でもなく、電子部品の街でした。間口2mほどのカウンターに所狭しと部品が置かれている店がずらりと並んでいたのです。『スティーブ・ジョブズ』にハルテクという店が出てきます。「新品から中古品、回収品、余剰品までさまざまな部品がごちゃごちゃと棚に積まれたり仕分けもないままビンにいれられたり、屋外に山と積まれたりしていた」というのですが、まさしくそんな感じです。私はジョブズのわずかに下の同世代なので、見聞きしたことも似ているのかもしれません。

　そんなふうにいろいろなことに手を出しまくっていたからでしょう、趣味が服を着て歩いているとよく言われました。なにせ高校時代には、部活動を四つもしていたほどで。幽霊部員ではありません。毎日お昼休みは放送部で、お弁当を食べながら無線機をいじっていました（アマチュア無線やエレクトロニクスの部でした。4ビットのマイコンをいじっていたグループもいました。『スティーブ・ジョブズ』に登場するホームブリューの世界です）。放課後は、夏なら水泳部で泳ぎ、冬なら急いで帰ってリンクに行き、フィギュアスケートの練習です。土曜日の放課後は英語部の例会。いずれも熱心にやっていたので、3年生のときは、放送部、水泳部、英語部は副部長でした。フィギュアスケートは私のためだけに作られた部なので、書類上は部長だったはずです。

　エレクトロニクス系DIYにはまったのは小学生のころ。小学校4年生から6年生は、夏休みの工作で真空管ラジオを作りました（2球ラジオから始めて最後は6球スーパー）。中学ではトランジスタをいじり、高校に入るとIC（集積回路）です。アマチュア無線の免許も中学3年生で取りました。

　大学に入ると、フィギュアスケートの練習で音楽をかけるとき、ウォークマンの音を爆音まで大きくするスピーカー一体型のアンプを作ったりしました。これは他大学からも欲しいと頼まれ、けっこうな台数を作

りました。

　また、パーソナルコンピューター、いわゆるパソコンが発売になると飛びつき、プログラミングにはまりました。手作業ではとても無理な計算や時間がかかりすぎる計算も、きちんとプログラミングすればコンピューターがやってくれるわけで、ある意味、ちょっとした魔法が使える感覚だったように思います。論理的にまちがいなく組み上げればちゃんと動くし、なにか勘違いをしているとそれはそれでまちがいなくおかしな結果を出してくれるというのが、パズルを解いているような感覚で楽しかったというのもあります。ともかく、自分がコンピューターにやらせたいプログラムを組むだけでなく、研究用や事業用のプログラムをアルバイトで組んだりもしていたので、友だちからそっちに進むのだと思われたほどです。

エンジニア・ジョブズの実力は？

　実は、こういう経験も『スティーブ・ジョブズ』の翻訳に生きています。刊行後、"Heathkits came with all the boards and parts color-coded"を誤訳している、「ヒースキットは基板も部品もみんな色分けされていた」という意味のはずなどとアマゾンのレビューで指摘されました。

　英語はたしかにそう読むのがすなおな文章です。そして、それがわかった上で、私は、「ヒースキットには基板もそろっていたし、部品もみんなカラーコードがついていた」と訳しました。

　まず、関連の基礎知識ですが、電子部品である抵抗やコンデンサ（キャパシタと呼ぶこともある）には「カラーコード」というものが定められています。どういうものであるのかは、英語なら「color-coded resistor」や「color-coded　capacitor」で画像検索をすると出てきますし、日本語なら「カラーコード　抵抗」「カラーコード　コンデンサ」「カラーコード　キャパシタ」などで出てきます（念のための確認として、訳出時にこの検索もしています。この「color-coded」が私の知るカラーコードとは違う可能性もあるからです）。ここは、ヒースキットにはカラ

ーコードのついた抵抗やコンデンサが使われていた（カラーコードのない抵抗やコンデンサが使われていたヒースキットもあるようですが、少なくとも、ジョブズが見たものはそうだった）と読むのが妥当でしょう。

　一方、基板に一般的なカラーコードは定義されていません。それでも、この方が書かれているように「色分け」がされていたのであれば、若干不正確ながら基板と部品をまとめて"color-coded"で修飾することもあるかもしれません。

　ですが、基板の色分けというのは見たことがありません。念のため、画像検索でたくさんのヒースキットを確認してもみましたが、基板が色分けされている様子はありませんでした。もちろん、画像検索で出てくるのは基本的に最近のもので当時と違うかもしれませんし、昔のものとして提示されている写真も当時と同じ状態かどうかはわからないので、これも確たることは言えないのですが。

　ちなみに、英語も日本語も"all"、「みんな」と（少なくとも部品は）すべてにカラーコードがついていたとありますが、これも実は少しおかしな話です。抵抗やコンデンサ以外の部品には、カラーコードがついていなかったはずだからです。そういう意味では原文も訳文も不正確です。原文がなぜこうなっているのかは不明ですが、それはさておき、訳文側をあえて不正確なママにしたのは、この程度でわかる人にはわかるし、逆に、わからない人にわかるほど詳しく書いたらものすごく長くなってしまうからです。『スティーブ・ジョブズ』はエレクトロニクスの入門書ではなく、そこまですると、むしろ、読み物としての質を落とすだけになってしまいます。

　そもそも、この部分はもともとがジョブズの思い出語りなので、正確性を求めること自体がまちがいだとも思います。台本のない思い出語りの引用ということを考えれば、"Heathkits came with all the boards and parts"まで言ったところで、ああパーツはカラーコードがついていたなと思いだしてその件を付け加えた、つまり、ジョブズのつもりとしては

"Heathkits came with all the boards and（parts color-coded）"だった可能性もあります。あくまで可能性ですけどね。

　ノンフィクションの翻訳では、英語にどう書かれているのかがもちろん大切なのですが、現実がどうなっているのかも無視できません。だから、調べまくることになります。関連のある数字がいくつも出てくれば計算してみるなどもします。英語の解釈と調査や計算の結果が一致すれば、たぶん、解釈はまちがっていません。ずれていれば、私が読みまちがえているのか、著者がまちがえたのか（たいがいは前者）です。

　というわけで、私も、ジョブズと似たような経験を子どものころにしているわけです。そんな私にとってジョブズは、技術力という意味ではとても親近感を覚える存在です。ああ、私と五十歩百歩のレベルなんだろうなと思ってしまうのです。

　具体的には、製品の設計など開発の仕事をするのはとても無理、でも、回路図をだれかが書いてくれれば部品をそろえて組み立てるくらいはできる。さらに、部品を一部変更して自分好みに改造するくらいはできる場合もある。そのくらいです。

　私の作品をひとつ紹介しておきましょう。携帯型のヘッドホンアンプです。回路はネットで知り合った人が設計したもので、それを単四3本用の電池ケースに収めました（アンプそのものは単四1本分のスペースに収めた）。

　サイズと音質を考えながら部品を調整・選定し、きちんと動作する基板にして（部品配置が悪いと発振してブーンという音が出てしまったりする）完成させるくらいはできるわけです。ちなみにこの基板、表側だけでジャンパー線、背の低い部品、背の高い部品が重なり合う3層構造になっていますし、基板の裏面にも薄型の部品を取り付けています。大きさは12mm×20mmと小指の先くらいしかありません。設計した方から、「ここまで小さくできましたか」とびっくりされた作品です。

DIY の携帯型ヘッドホンアンプ

　このくらいできれば、いろいろと楽しむことができます。ですが、新しいものを一から設計するのは無理ですし、一般に販売できるような製品を作ることもできません。私の知識や技術力ではこういう改造くらいが限界なのです。この先は、勉強しなければならないことが格段に増えます。

　ジョブズの技術力もそのくらいだと思われます。技術の良し悪しはわかる、世間一般の基準で「技術に詳しい」とは言える。でも、その先、急に難しくなるあたりまで身につけなければエレクトロニクス系の技術者として生きていくことはできない。私はそこまでできなかったし、ジョブズもそこまではやらなかったみたいだなぁ……と、そう思ってしまうのです。

勉強は「必要が生じたとき」にやる

　経歴を見ていただければわかりますが、私は東大を卒業しました。そのため、勉強が得意だと思われることが多いのですが、意外にポンコツだったりします。

すでに白状していますが、実は私、記憶力がないことにかけてはかなりの自信があります。「記憶力があることに」の書きまちがいではなく、「記憶力がないことに」です。

　小学校では、九九でいつも最後まで教室に残されていました。6の段くらいから怪しくなり、7の段あたりでつっかえてしまうのです。要するに、半分ちょっとしか覚えられなかったんです。半分ちょっと覚えていれば計算はできるので、算数の成績はよかったんですが。

　当然ながら、大人になってもそのあたりは変わりません。

　妻が就職後に通った心理学の夜間大学院で大人向け知能テストが課題に出たことがあります。もちろん、被験者は私です。いろいろな問題があるのですが、そのひとつが「数字の逆唱」でした。「312」と言われたら後ろから「213」と返すもので、何桁までできるのかを調べます。

　問題の説明を聞いた瞬間、思いました。これは不得意なやつだ、と。だから目も閉じて集中しました（目から入ってくる情報を無意識に処理して脳の負荷が増えるのを避けようとした）。そこまでしても、私では3桁が限界です。ふと視線を感じたので目を開けると、妻がこっちをじっと見ています。そして一言、「まじめにやってる？」と言われました。

　ふつうの人がまじめにやれば楽勝でできるはずのレベルがまるでできなかったからです。いまなら発達障害だと診断されるだろうとのことですが、当時はまだ発達障害という概念がなかったので、妻としてはわけがわからず、手を抜いているとしか思えなかったようです。

　ですから、私の勉強方法はかなり特殊です。頭の造りが特殊らしく、それに合わせた勉強方法ですから。マネはおすすめしませんし、マネしてうまくいくともあまり思えません。

　ではなぜ、そんな話をするのか。こんなおかしなやり方が合う人もいるのかと知っていただけたらと思うからです。そして、じゃあ、どういうやり方が自分に合うんだろうと考えてみていただければと思うからです。大事なのは、自分に合った勉強方法をみつけることだと思いますから。

　記憶が弱点だと学生時代は苦労します。理由があるものは理屈から考えてひねり出せるのでまだしもですが、地名や人名など、理屈がないものは本当に覚えられません。数学や物理の公式もたくさんは覚えられないし、がんばってたくさん覚えても、どういうときにどの公式を使うのかがわからなくなってしまい、結局、使えません。なので、元になる公式をひとつだけ覚え、条件に合わせて毎回式を変形していくといったことをしていました。たとえば物理の力学なら、いわゆる運動方程式、F＝maだけを覚え、あとは問題の条件に合わせて微分したり積分したりしてなんとかするという具合です。

　そういう手が使えない科目もあります。たとえば英語。知っている単語が増えればパーツパーツの意味から全体が類推できたりしますが、そこまではとにかく覚えるしかありません。そういうときは短期集中で詰め込みます。忘れていいからたくさん詰め込む、いや、たくさん忘れるのだから、もっとたくさん覚える、です。50個覚えて40個忘れたら10個残るわけですから。

　忘れる以上にたくさん覚えるをくり返すと、そのうち、知識が網の目のように絡み合います。そうなればしめたもので、少しは忘れにくくなります。

　余談ながら、これほどなんでもよく忘れると、出かけるとき、持って出るつもりだったものを忘れるなど、ふだんの生活で困ることがしょっちゅうあります。なので、いやでも思い出すような工夫をします。持って出るものは玄関の通り道をふさぐように置いておく、などです。結婚当初はじゃまだからと妻が横によけてしまうなどありましたが、私の記憶力が壊滅的だと理解してからはそのままにしておいてくれるようになりましたし、私になにか頼むときは、通り道にどんと置いておくなどしてくれるようになりました。

　ちなみに、ここにいたるまでは長い道のりで、これが何回、夫婦げんかの種になったことか。「私が頼んだこと、なんでもすぐに忘れる。どうでもいいと思っているんでしょう？」と怒られたのです。頼まれたこ

とをよく忘れるのは事実なのですが、でも、私にしてみれば、頼まれたことをひとつ忘れるあいだに自分がしようと思っていたことは10個も20個も忘れているわけです。やろうとすることは、当然に自分のことのほうが多いのですから。「そんなはずはない。やるべきことはやれてるじゃない」って信じてもらえないのですが、自分のことなら、10回忘れても11回目に忘れなければ処理できます。不便だったり効率が悪かったりしますが、最後はなんとかなるわけです。でも、頼まれたことは、1回忘れただけで「忘れた」と怒られます。

　このあたり、妻が得心してくれたのは、子どもが生まれてしばらくしてからでした。長男が私によく似ていて、なんでもすぐに忘れるタイプだったのです（このあたり、次男は妻似で記憶力に優れている）。おかげで、ある日、「あなた、なんでもすぐに忘れる、忘れるって、あれ、ほんとに忘れてたのね」と言われました。いや、だからずっとそう言ってきてんじゃんって話なわけですが、人一倍記憶力のいい妻には信じられなかったというのもわからないではありません。

　そんなタイプであることもあり、前述のとおり、私は、「勉強は必要が生じたときにやる」を基本方針にしています。必要になる前に勉強しておいても、必要になったころにはきれいさっぱり忘れていて意味がないからです。

技術とビジネスの勉強法

『スティーブ・ジョブズ』などの本は、技術とビジネス、両方がわからないと訳せません。そういう意味でも、私はラッキーだったと思います。

　まず技術について。すでに少し紹介していますが、子どものころから技術系のあれこれが大好きで、将来はエンジニアになるのだと信じて疑いませんでしたし、木工・金工・エレクトロニクス・プログラミングなど、一通りのことをしてきました。

DIY で作成したスタッキングチェア

スタッキングチェアをベンチにセットしたところ

DIYはいまも趣味にしていて、居間の照明（LEDと白熱灯が切り替えられる）も自作なら、山の家の棚は建てたときの廃材などで自作したものです。

さきほどの写真で紹介しているスタッキングチェアもDIYです。文字どおり、大中小がスタッキングになるつくりで、中をベンチにセットすると、子どもにぴったりの高さに調整できます。しかも、下の横木が引っかかるので安定します。また、子どもたちが机と椅子として使ったり、ベランダで食事をするときに家族で座ったりと、大活躍しました。

コンピューターもデスクトップマシンはいつも自作です。翻訳の仕事に使うツールを自作・公開しているのですが、そちらは全部で数万行とそれなりに大きなプログラムになっています。

こんな感じで、昔から趣味としていろいろなものを作ってきていると、新しい技術動向にもそれなりに触れることができます。あらためて勉強という意識なしに、気づいたらあれもこれも勉強していたという感じです。

フリーランスこそ「ビジネスの勉強」が必須

ビジネスについては、会社員時代に基礎を作りました。

就職したとき思ったのです。仕事をしていくなら経済がわからないといかんだろう、と。だから、日本経済新聞を読むことにしました。最初は、なにが書いてあるのかわけがわかりませんでした。それでも毎日読んでいると、だんだん、なんとなくわかるようになります。わかるようになると読むのが速くなるので、少しずつ読む範囲を広げることができます。1年くらい続けたら、ざっと全体に目を通せるようになりました。退職後もしばらくは日経新聞を取っていましたから、なんだかんだ、15年くらいは読んだでしょうか。

この延長で、米国留学中、タイム誌とともに、ビジネスウィーク誌も定期購読しました。経済的な話が英語でも理解できるように、と。帰国後も定期購読したので、こちらも、10年近く読んだと思います。

　このあたりの知識は、独立してフリーランスになったときにも有益でした。いや、会社員時代より切実に、かつ、直接的に役にたったと言えるでしょう。自分ひとりで事業を展開していて、よくも悪くも、結果がすべて自分にはね返ってくるのですから。そんなこともあって、独立後も経済的なニュースにはアンテナを立てていますし、新しいことが話題になれば翻訳者の性で詳しく調べてしまうしで、いつのまにか学んでしまっていたりします。

　また、私の場合は、ふだんの仕事が最新情報を集める機会にもなっています。私は技術やビジネスを得意にしているわけで、そういう人のところには、技術やビジネスの案件が集まってきますから。産業翻訳では新製品関連の仕事が世の中に発表される前に回ってくることがありますし、書籍にしても、その分野で一般に知られている最新情報くらいまではカバーしています。得意分野なら、知らない情報はほんとに最新の一部だけです。そこは調べて新たに理解します。その直前までわかっているので、わりと簡単です。

　翻訳者というのは、いやでも最新情報に詳しくなる人種だと言ってもいいでしょう。

　一般の人だと仕事で情報を得ていくというのはあまりないかもしれませんが、それでも、「え、なんだろう、それ知らない」って思うことがあったらさっと調べてみるというのをくり返すだけで、自分がよく触れる範囲のことはかなりわかるようになるはずです。いまはネットがあって、なんでもその場で調べることができます。それをくり返していれば、自分がふだん必要とすることはたいがい覚えられるのではないでしょうか。覚えられなかったこと、知らなかったことがあっても悔やむことはありません。いままで、そこまでの必要がなかったというだけのことですから。

第3章

出版翻訳者の
「塞翁が馬」人生

子育てのためにフリーランス翻訳者に

東大化学工学科のフィギュアスケート選手

　子育てのために男が会社員を辞めてフリーランスの翻訳者になった——それはいまでも異色の経歴だと言われるでしょう。でも私は、成績はいいのに宿題は忘れてやってこない、男のくせにフィギュアスケートなんてスポーツをしているなど、もともと、いろいろな意味ではみ出していました。いわゆるお勉強も、学歴からすると私は成功したひとりのはずなのですが、記憶力が壊滅的なこともあり、けっこう浮き沈みが大きくありました。大学は東大ですが、卒業するのに8年もかかっていますから。

　東大には現役で入りました。こう言うとたいがいびっくりされるのですが、実は、第一志望をあきらめて、です。第一志望は東京工業大学、いわゆる東工大でした。

　あきらめた理由は数学の落ち込みです。高校3年の4月頭にある全日本フィギュアスケートジュニア選手権大会に出るため、高校2年の冬から春休みにかけてスケートばかりしていたからでしょう。

　大学選びもスケート中心で、「フィギュアスケートの練習が通年でできる大都市の大学に行きたい」と考えました。私が住んでいた栃木県宇都宮市では冬場の半年しかスケートリンクの営業がなく、通年で練習できる環境がうらやましかったのです。

　要するに、東京の大学、です。東京にある理系の国立一期校（国立の一期・二期があった最後の年だった）は東大と東工大のみ。東工大は数学の問題が特殊なうえに配点が数学200点、理科100点、英語100点です。

　浪人覚悟で第一志望の東工大を受けるか、数学、理科、英語の配点が120点ずつで数学のミスを理科と英語でカバーできる可能性がある東大を受けるか。受験で、フィギュアを2年も休むのは避けたいと東大を受

けたところ、幸運にも入ることができたわけです。

　入学すると、すぐ、大学のフィギュアスケート部とリンクのクラブに入り、練習を再開しました。ここまでは予定どおりです。予想外だったのは、大学がつまらなかったこと。第一志望をあきらめて来たわけでいまいちやる気がなかったというのもあるでしょう。結局、リンクで滑りまくり、ついでに学校も滑ってしまった……そう表現すればできるような生活になってしまいました。結局、教養部の駒場に6年もいて、専門の本郷に移るときスケート選手は引退。専門の1年目、「国体には出ないのか。10回目の出場になるので栃木県選手団の旗手をという話があるのだが」と栃木県連盟の役員さんに言われて一瞬迷いましたが、まともに練習できていないのに出るのはやはりないとお断りしました。

　そんなふうにスケート漬けの長い大学生活でしたから、スケート関係の友だちは、みな、私はスケートで食べていくのだろう、プロコーチになるのだろうと思っていたそうです。

「出光にこんな社員がいてもいい」

　対して専門（化学工学科）の友だちは、コンピューターが得意だからシステム会社に就職するんだろうと思っていたそうです。

　どちらも考えはしましたが、やめました。どちらもしばらくはいいかもしれないけど、年を取ったらきつそうだと思ったからです。

　というわけで、専門課程を選んだときの理由「石油以外のエネルギー」、いわゆる代替エネルギーや新エネルギーと言われる分野で就職先を探すことにしました。

　なにせ4留です。門前払いを食らっても文句は言えません。実際、「1浪1留の2年までとなっているので」と断られたところもあります。また、「石油代替エネルギーの研究に力を入れている」と会社案内にあっても、そこの先輩に尋ねると「一時期がんばっていたけど、あんまり成果が出なくて、そろそろ撤退するようだ」などと返ってきたり。代替エネルギーはあきらめ、強く引いてくれた石油化学の会社に行こうか……

そう思いつつ大学研究室の教授に相談してみたところ、出光興産を紹介されました。代替エネルギーの研究をしている先輩から新卒採用の話がきていたらしいのです。

　というわけで、出光の研究室へ見学に行き、夜は、研究室長以下と懇親会で飲むなどしたところ、これが非公式の面接だったらしく、帰りがけ、翌週の役員面接に行くようにと言われました。

　役員面接では、当然ながら、4留の件をまず聞かれました。そもそも大学に8年もいられるのか、からです。

「きみ、8年もなにをしていたんだね？」

「フィギュアスケートの選手で、全日本や国体に出ていました」

「それにしても、大学に8年も通えるのかい？」

「東大は駒場から本郷に移る際、いわゆる進振り、進学振り分けというものがありまして、この制度が内部ではいろいろと問題になっています。影武者なんてものもありまして。そんなわけで、年数については甘いところがあります」

「影武者？」

「進振りでは成績順に定員で切られるので、発表された途中集計を見て志望先を調整します。そのとき、自分の志望先に、成績のいい友だちを集めておくんです。そうすると、今年この学科はなぜか人気らしいと逃げ出す学生が出ます。そして、最後の志望調査で友だちが各自の志望先に帰っていくと、影武者を立てた学生が通る。つまり、ズルができるわけです」

「考えたな」

「『影武者帰り』がなければ、ですが」

「影武者帰り？」

「その学科を志望する学生の成績上位者がほかの学科に影武者で出ていると、最後の志望調査で彼らが戻ってきて、結局、点数が下がらないというのを影武者帰りと呼んでいます」

「おいおい（爆笑）」

　私としては、自分の知る事実をたんたんと説明しただけなのですが、役員のみなさん、爆笑しておられました。影武者に影武者帰り……そらそうなるよな、それにしても……って感じで。面接が終わって控え室に戻るときには、人事部の若手社員から「どういう話をしていたのか聞いてもいいか。これほど笑い声が上がった役員面接は初めてだ」と言われました。私は、役員面接なんてこの1回しか経験がないのでよくわからないのですが、ふつうはもっと厳粛な雰囲気なのでしょうね。

　ともかく、無事に採用され、翌年には、会社派遣で米国の大学院に留学となったわけです。こんな社員がいてもいいんじゃないか……役員面接は、そんな評価だったのではないかと想像しています。

　そういえば、フィギュアスケートのシングルで全日本予選に出る資格、7級のバッチテストも、講評で「こんな選手が全日本に出るのもいいんじゃないかと思って合格にした」と言われました。ふつうに採点したら不合格だからねということですね。私は、そんな感じで、いろいろ、ぎりぎりの低空飛行でなんとかなるということをくり返してきました。強運なのでしょう。

1996年に男性の「育児退職」はありえない？

　ここまでなんどか、子育てに必要な時間のやりくりを共働きの家庭内でつけるため、私が会社員を辞めてフリーランスの翻訳者になったという話を書いてきました。子どもが生まれたから男が退職するというのは、いまでも珍しいでしょう。まして、20世紀には、まずもってありえないという事態です。なにせ、結婚式の余興で「24時間、戦えますか」と歌われたりしていた時代なのですから。

　そういう選択にいたったのはなぜか。そのあたりを理解していただくには、そこまでの経緯から語る必要があるでしょう。

　私が結婚したのは、出光から幸運にも米国留学をさせてもらった2年後の1991年でした。相手は、大学フィギュアスケート部の後輩です。

私が大学に長くいたせいで卒業年次は一緒だったりするのですが。

　妻はいわゆる男女雇用機会均等法の第一世代にあたります。ですが、民間企業で女性が一生仕事を続けるのはおそらくまだ難しいだろうと公務員に絞って就職活動をしたそうです。キャリア志向というのともちょっと違うのですが、どういう人生を送るにせよ、仕事は続けるのが基本という人なのです。中学生だか高校生だかからそう考えて準備をしたということですから筋金入りです。ちなみに、自分が結婚するとは思っていなかったと聞いています。

　ともかく。妻は東京都の公務員、私はそのうち日本全国転勤の可能性もあれば、それこそ、どこかで必ず海外勤務が回ってくる部署です。そうなったときどうするかは、なったときに考えようというのが結婚したときの話でした。

　結婚後、しばらくは私が通商産業省（現経済産業省）の外郭団体に出向して午前様続きだったり、妻が夜間の大学院に通ったりと、忙しい日々が続きました。

　転機が訪れたのは1996年春。妻の妊娠です。

　ちょうど育児休業制度ができたころで妻も1年間は休業できるのですが、その先が問題です。保育園に預けることができても保育時間は朝7時から夜7時まで。私は本社新燃料部に異動して中国やロシアからの石炭輸入を担当しており、トラブルで急に午前様というのも珍しくない生活をしていました。妻は妻でそのころは勤め先が遠く、ドアツードアで1時間40分もかかります。5時15分の定時に飛び出せばぎりぎり保育園のお迎えにまにあうのですが、電話相談も仕事のひとつなので5時15分に必ず退勤できるとはかぎりません。たとえば5時に相談の電話がかかってくれば取らざるをえませんし、15分で「時間ですから」とその電話を切ることもできません。インターネットもまだない時代で、相談の電話が長引いてるからなんとかしてと私にSOSを送ることもできません。親も私のほうは栃木から出身地の九州に戻っていたし、妻側も車で1時間半以上かかるところでしょっちゅう来てもらうなどできません。

　八方手をつくし、個人で預かってくれる人がみつかったときはほっと
しました。

　ところが、いよいよ長男が生まれるというころ、その方から、「いま
預かっているところからもう少し長くお願いしたいと頼まれてしまっ
た。もうしわけないがお宅のお子さんを預かることはできない」と言わ
れてしまいます。振り出しに戻ったわけです。

　万事休す。夫婦どちらかが退職するか、それとも家から近くて残業の
ない会社に転職するか。

　給与は公務員の妻より民間の私のほうが多い。だから妻が退職し私が
仕事を続けたほうが得だというのもひとつの考え方です（かつ、一般的
な考え方でしょう）。

　ちなみに妻は専門職で、その仕事から大学の先生に転じる人がけっこ
ういます。大学の先生なら時間の融通がきいてなんとかなりそうなので
すが、ポストがあかなければ転職できません。10年計画でそのうち、な
らありえますが、1年でなんとかするのは無理です。となると、転職で
はなく退職して専業主婦になってしまいます。

　という具合にいろいろと検討した結果、私が翻訳者として独立するの
が一番いいんじゃないかというアイデアが浮上しました。知り合った翻
訳者と飲んでいたとき、会社員を辞めてフリーランスの翻訳者になれば
いいじゃないと言われたのです。

　会社には一生勤めるつもりで就職していますし、そもそも、会社員以
外の働き方というのは発想にありませんでした。ですが、フリーランス
であれば、保育園の送り迎えも問題ないし、朝起きたら熱が出ていたな
んてことにも対応できるしと、育児休業後の生活をシミュレーション
し、こういうときに困るよねと話していた問題がすべて解消しそうで
す。まさしく、その手があったか、目からうろこでした。

妻のリアクションは「冗談じゃない」

　というわけで、ある晩、私が会社員を辞めてフリーランスになるとい

う方向を妻に提案してみました。

「冗談じゃない」

　言下に却下されました。

「いや、冗談じゃなくてまじめな話なんだけど……」なんてとても言えた雰囲気ではありません。あとから聞くと、「宇宙に移住しようというくらいありえない提案だと思った」とのこと。妻の親戚は公務員が多く、私以上に組織勤め以外の働き方は念頭になかったようです。

　そのあとは、こういうとき困るよねという話のたび、フリーランスならなんとかなるはずだよと、少しずつ押していきました。たとえば、こんな感じです。

「朝起きたら熱が出ていたとかよくあるわけで、ふたりの有給だけで対応できるかどうか……」

「私も小さいころはよく熱を出してたらしいからね。でも、さ、そういうとき、私がフリーランスで家にいれば、とりあえず、朝イチで小児科に連れていくとかできるじゃん。午後はシッターさんに来てもらえば仕事ができるし、午前中できなかった分は、夜、何晩かかけて取り戻せばなんとかなるだろうし」

　こういう話を1ヵ月くらいくり返すと、ようやく、「たしかに、フリーランスとして仕事がちゃんとできるなら、いろいろ解決するわね」まで到達しました。

　そうです、フリーランスの場合、看板を掲げても仕事が取れず、単なる無職のプー太郎ということもありえます。なので、翻訳者として独立してもなんとかなりそうか、しばらく、会社員をしつつ翻訳の仕事もする二足のわらじで確かめてみることにしました。

　選んだ分野は環境・エネルギーを中心とした技術翻訳。もともとエネルギー利用技術が専門の技術者ですし、エネルギーの利用と環境問題は表裏一体なので、そのあたりもかなり詳しくなっていましたから。また、論文などは、英語でも日本語でも読んだり書いたりしてきているわけで、それなりには訳すこともできるはずだと思っていました。

　半年ほど動いてみたところ、翻訳会社5社と環境保護団体1ヵ所から定期的に仕事が取れるようになりました。これなら、独立しても十分にやっていけそうです。

「本音の退職理由は!?」

　9月、上司に退職を申し出ました。

　夜、課員がいなくなって課長ひとりになったタイミングで席を立ちました。膝が震えています。退職したいと伝えてしまったら後戻りはできない。いまなら辞めるのをやめられる。もともと一生勤めるつもりで就職したのだ。そんな想いがぐるぐると頭の中を駆け巡ります。意を決して課長のところまで行き、退職しようと思っている、理由はこれこれでと話をしました。

　翌日出社すると、部内で人事を担当する総括課長に呼び止められ、会議室へ。

「聞いたよ。きみ、そういうときは、ふつう、嫁さんが辞めるんじゃないんかね」

「はい、うち、ふつうじゃありませんから」

　よく言えば昔ながらの、悪く言えば古い体質の会社で、家族の面倒まで丸ごと見るかわり、妻が家を守り夫は仕事に打ち込むという形が推奨される中、夫婦共働きだし（100人ほどの部内に共働きはふたりだけ）、週末は家族優先で基本的に仕事をしないなど（もうひとりの共働きは奥さんが不規則な勤務だということもあり、週末仕事もよくしていた）、私が社内的に異端児であったことはまちがいありません。

「子どもが小さいあいだの何年間か、残業のない暇な職場に飛ばしてもらえるという話があれば辞める必要はないのですが、そんな話はありませんよね？」

「ないな」

「ですよね。でも、子どもは生もので放っておけません。どうしても、急に休むとか、無理やり早く退勤するとか、そういうことが起きま

す。そんなこんなで、まずまちがいなく、あいつのせいで仕事が回らない など部内に不満がたまって辞めざるをえなくなります。それくらいなら、いまのうちにきちんと引き継いで辞めたほうが、私にとっても、部にとってもいいと思うんです」

「……いま退職しても退職金はすずめの涙だぞ？　年数的にこれから増えるというタイミングだからな」

「理由がゼニカネじゃないのでしかたありません」

「退職するときは、自宅の社内融資は全額返済しなきゃならんぞ？」

「返済のめどがたったので退職を申し出ました」

「……そうか。念のために言っておくが、会社はきみへの投資、まだ回収できてないからな？」

「その点は申し訳ないと思っています」

　勤続12年ではふつうでも投資を回収しきれていないはずだと思うし、まして私の場合、社費で留学までさせてもらったわけですから。

　ともかく、本気なのだと理解してもらえたらしく、このあと、総括課長は円満退職になるよう手続きを進めてくれました。

「時期は？」

「我々夫婦にとってベストなのは12月半ば、嫁さんの育児休業が終わるのと入れ替わりで私が家にいることなんですが、仕事のタイミングとしては年明けじゃないと無理があります。なので、年明けのなるべく早いタイミングでお願いできればと思います」

　年内は中国ビジネス関連で持ち回りの幹事社業務をしていて、これがいろいろとややこしく、途中で引き継ぐのは難しいと思ったのです。結局、退職は1月20日ということになりました。出光の場合、円満退職は20日付なのだそうです。

　だいぶ日がたったとき、また総括課長に呼ばれました。

「異例なのだが、本社人事部が話を聞きたいとのことなので行ってこい。好きに話してきていいからな？」

　こう言われて人事部に出向きました。退職の理由を尋ねられたので、

子育ての時間的やりくりを家庭内でつけるにはそれしかないとの結論に達したという話をここでもくり返しました。話が終わると、

「……で？」

「……でって……理由はいまお話ししたとおりなのですが……」

　子育てのために男が退職などありえない、本当の理由がほかにあるはずだ、それをぶっちゃけろと言いたかったようです。「好きに話してきていい」というのはそういうことか、部内で言えないことがあるなら人事部に話してこい、と。でも、実際に子育てが理由なわけで、そうくり返すしかありません。納得してくれたかどうかはわかりませんが、少なくともほかの話が出てこないらしいとはわかってもらえたはずです。

　常務取締役部長からも「世の中はいま、失業者があふれている。なにもこんなときに辞めんでも」と言っていただきました。たしかに独立を目的に会社員をしてきたのなら「なにもこんなとき」でしょう。でも、子どもが生まれてうんぬんではしかたありません。そう返すと「仕事を続けたいなら子どもを作ったのがまちがいだったな」と言われてしまいました。あのころの企業社会ではそれもまた真実という考え方ですし、そう考えるような人でなければグループ1万人の大企業で頂点近くまで昇り詰めることはできないでしょう。そういう意味で、一理あるコメントではあります。妻は「我々世代が子どもを生まなかったら、あなたの年金、だれが払うの？と言えばよかったのに」と口をとがらせていましたが。

子育て狂騒曲

　独立前後も波瀾万丈でいろいろありましたが、本書とはあまり関係がないので割愛します。ともかく、産業翻訳者としてのスタートは順調すぎるほど順調で、退職直後から出歩くこともままならないほど忙しくなりました。

　わかっていたことですが、我々家族が住んでいた市は、当時、1歳児の保育園入園が大激戦で大変でした。入園の審査は親の働き方による点

数制で、最高点が100点。1歳児は100点でも半分以上落ちるので、99点の人は可能性ゼロという状態だったのです。

　だから、共働きの夫婦は、みな、5月生まれを狙っていました。このころに生まれてくれれば、育児休業をほぼ1年取って0歳児で入園が可能だからです。ぎりぎりの4月を狙うのは早産で3月生まれという最悪パターンになるおそれがあって怖すぎます。そんなわけで、実際、0歳児は4月、5月、6月生まれがクラスの半分を占めていました。我が家も当然に5月を狙ったのですが、結局、12月生まれと2月生まれでなに考えてるのと言われかねない結果になってしまいました。まあ、子どもは、結局のところ、授かりものですから……。

　ふつうでも激戦の上、職住同一でマイナス5点という規定がありました。これに引っかかったらおしまいです。長男のときは、申請時、私がまだ会社員で在職の証明も出してもらえたので、ぎりぎり、激戦をくぐり抜けることができました。

　妻が復職した12月半ばから保育園が始まる4月まではベビーシッターさんです。私が退職したあとは、朝、シッターさんに子どもを預け、私は玄関から出ていって、家の裏側にあったドアから仕事部屋に入って仕事をする、夕方には裏口を出て、表玄関から「ただいま」と帰ってくる。そういう形を取っていました。義母もときどき来てくれていましたが、シッター代が月30万円くらいかかりました。

　1999年頭には次男も誕生。「職場と自宅が同一はマイナス5点」という致命的な減点は駅前に事務所を借りてクリアしました。結果、次男も激戦をくぐり抜け、無事、翌年4月から長男と同じ保育園の1歳児クラスに入ることができました。ちなみに、次男の保育園申請を出したときには市役所の人が事務所まで来ました。事務所を借りているというのは本当か、住所だけだれかに貸してもらっているんじゃないかとチェックに来たのでしょう。

　夫婦ともフルタイムの共働きで親の助けなしに子育てをするのは大変

です。しかも我が家の場合、長男は「元気はいいけど、病気には弱い子」とかかりつけのお医者さんに言われるタイプだし、次男はぜんそくの気があるしで、朝起きたら子どもが体調を崩しているなど何回あったかわかりません。そういうときは、ベビーシッターさんの手配をしてから混む前の朝イチで小児科に連れて行きました。

　病気対応は基本的に私です。そういう融通が利かせられるようにとフリーランスになったのですから。

　だから、午前中納品の仕事は、遅くとも前日に終えるようにしていましたし、紙に印刷して読み直すなど外に持ち出せる状態の仕事がつねにあるようにしていました（このころは、守秘義務の心配がいらない発表ずみ論文の翻訳が多かった）。

　そもそも、仕事を請ける際、そういう時間的やりくりがつけられるように、実際に必要な日数の少なくとも2倍、できれば3倍、納期をもらうようにしていました。

　もちろん、納期にも相場があります。こちらの都合でそうそう長くすることはできません。ですから、細かく時間を節約できるソフトウェアツールをいろいろ作るなどしてスピードアップを心がけていました。ふつうの人より短い時間で仕事ができれば、ふつうより少し長い納期で必要な日数の2倍くらいにはなるわけです。

　それでも、ふたりが中耳炎を2回ずつわずらい、なんだかんだ延べ225回も通院してくれた1999年はさすがにしんどかったことをよく覚えています。ちなみに、私がどうにも対応できないときは、妻が有給を取ってなんとかしてくれました。このあたりは、組織勤めとフリーランスでうまく役割を分担したと言えるでしょう。

　ともかく、夫婦とも通勤に片道1時間以上かかるような組織勤めのままだったらどうにもならなかったはずです。会社員を辞めたのは正解でした。

　ですが、本来は、勤めていても子育てくらいできて当然でしょう。これほど大変なのはほんの何年かであり、その間だけ融通の利く働き方が

できればいいのですから。

そのあたりを書いて懸賞論文に応募したら、なんと最優秀賞などというものをもらってしまいました。公益財団法人公共政策調査会の平成12年度（2000年度）懸賞論文「少子化問題を考える」です。

夫婦連名で出した論文「『弱さ』を受け入れる社会を目指して」では、次のようなことを訴えました。

日本は第2次大戦敗戦後、家庭責任は専業主婦が担い、健常な働き手は生産の現場で仕事に専念するという分業制で経済的な復興を実現した。だがこれは、ある意味、強者優先の社会だ。子ども、老人、障害者などは片隅に追いやられるし、その世話をする人も片隅に追いやられてしまう。そして近年、「それはいやだ。自分も社会の中核に参画したい」——そう思う人が「子どもを産まない」という選択をするようになった。少子化が進んでいるのは、そういう理由からだ。家庭と生産を二分し健常者とそれ以外を分けるやり方が、少子化という形で健常者を減らしシステム自体の存立を危うくしている。だから、「弱さ」を受け入れる社会に変えなければならない。子ども、病人・けが人、高齢者など生活の場に当然存在する効率の悪い部分を「人生の中で当然起きることであり、社会に当然存在する存在」として認め、その存在を前提とした社会を築く必要がある。

ある意味、こういう柔軟性を家庭内で確保したのが我が家と言ってもいいでしょう。

子育ての時間的やりくりを家庭内でつけられるようにするため私が会社員を辞めたのは1998年。1992年に育児休業法が施行されてまもなくのころで、世の中一般では女性でさえ育児休業をなかなか取れず、まして、男性が取るなど考えられないという時代でした。その方向に向け、1980年から活動してきている「男も女も育児時間を！連絡会」、通称「いくじれん」という人たちもいたりしますが。

そんな時代に育児休業どころか「育児退職」してしまったというのはとても珍しいわけで、雑誌、新聞、さらにはテレビと、あちこちから取

雑誌インタビューの一部。上から「月刊 Wedge 2014 年 6 月号」（2014.5.20発行）、「Business Labor Trend」（2004 年 10 月労働政策研究・研修機構）

材の申し込みがありました。前述の懸賞論文を出したりしたくらいで、そのあたり、社会的にもう少しなんとかすべきだろうと思っていましたから、多少なりとも問題提起になればということで、取材はできるかぎり受けることにしました。

フリーランスは「主夫」にあらず

私はあくまで「育児の時間的やりくりを家庭内でつけられるように転職した」のであって「主夫」になったわけではありません。子どもたちは朝から夕方まで保育園が基本で、その間はがんがんに仕事をしていました。担当したのは保育園の送り迎え、遊び相手、風呂、寝かしつけ、病気をはじめとする突発事の対応など。食事の準備、保育園との連絡帳、掃除・洗濯、その他こまごました家事・家計の全般は妻が担当です。全体をコントロールする頭部分は妻、実作業をする手足部分の一部が私という感じでしょうか。

幸いなことに、仕事は順調でした。

転職して始めたフリーランスは自営業です。まずは仕事を取らないといけません。

ふつうはここが大変です。どこに仕事があるのかわかりませんから。いくら実力があっても、いくら営業をがんばっても、そもそも仕事がなければ取れるはずがありません。

その点、翻訳者はわりと恵まれています。翻訳会社があるからです。翻訳会社の仕事は、あちこちの企業などから翻訳の仕事を取ってきて、我々フリーランスに割り振ること。翻訳会社なら、仕事が必ずあるわけです。また、できる翻訳者に発注すればあとの処理も楽ならクレームになる心配などもなくなるので、翻訳会社は、常に、できる人を探しています。というわけで、翻訳者の場合、実力さえあれば比較的簡単に仕事を取ることができます。

私も、独立当初は翻訳会社経由の仕事が95％くらいと大半を占めていました。ですが、どうせならなるべく上流から仕事を取ろう、翻訳会社

と競い、企業などから直接仕事を取っていこうと考えていました。私にとってはしごく当然なのですが、フリーランス翻訳者には珍しい考え方です。出光時代の最後、ビジネス部門でいろいろと鍛えられていたからでしょうか。

　そんなわけで、会社員を辞めてすぐに法人を設立し（法人でないと企業から直接受注は難しかった）、2〜3年はスーツ姿で営業をして歩きました。飛び込み営業もやってみたことがあります。すぐやめましたけどね。翻訳の仕事ってそんなにどこにでも転がってはいなくて効率は悪いし、翻訳なんて関係ないってところにとっては迷惑なわけで冷たくあしらわれ、メンタルに悪影響が出そうでしたから。

　ともかく、スーツを着て都心に出たときは、せっかくだからと昔の職場に立ち寄ってご挨拶することがありました。そういうとき、同期や先輩から「こんなとこにいていいのか？　子どもは？」などとよく尋ねられました。だ・か・ら、私は転職したのであって主夫になったわけじゃないんですって。さすがに部内の同僚はそのあたりよくわかっていてくれましたが、ほかの部署では「あいつ、専業主夫になったらしい」とでもうわさされていたのでしょう。

　世の中では、女性が退職しがちなタイミングが3回あると言われています。結婚、出産、そして、子どもの小学校入学です。

　はい、子どもが小学校に入ると大変です。保育園なら朝ご飯のあと送っていき、晩ご飯前にお迎えしてくることになります。それが小学校に入ると、早くに帰ってくるのです。入学からしばらくなど、お昼過ぎです。その後、学童保育に入っていても夕方早めの時間には帰ってきてしまいます。

　しかも我が家は学童保育にいれませんでした。小学校が近くの私立で、そこが夕方5時まで校庭で遊んでいていいことになっていたからです。そこから学童までは家の前を通って20分以上も歩くことになりますし、学童で30分くらい過ごしたら帰宅時間になってしまいます。それで

は負担が大きいばかりで、友だちもできにくいだろうと考えたのです。

　ちなみに小学校を私立にしたのは、お勉強をさせたかったからではありません。なにせ「キリスト教系の私立というと、みなさん、いろいろと想像されるものがあると思いますが、うちはそういうところではありません。お勉強は公立並み。それ以上を求められても対応できません」と学校説明会で力説するところですから。

「ご覧になればわかるように、校庭には木がたくさん生えています。木登り、禁止していません。禁止しても、登る子は登りますから。木に登れば落ちることもあります。落ちたらけがをすることもあります。けがをした場合には医者に連れて行くなど適切な対応をしますが、逆に言えばそこまでしかできません。けがを防止するといったことは不可能ですから」──この説明でそこに決めました。長男は木登りなどをしまくって、公立だったら先生に怒られまくるタイプです。ここならのびのび育ってくれそうだ。そう思ったのです。

　ともかく、長男が小学校に入ると、仕事に使える時間が3割方縮みました。これはつらい。しばらくは歯を食いしばってがんばる状態でした。そのうち、学校が終わったら友だちの家に遊びに行くようになったりしましたし、友だちと帰ってきて近くの公園に遊びに行くなど親がどうこうしなくていいことが増えたのでほっとしました。

働き方も暮らし方も自分で選ぶ

八ヶ岳─東京の二拠点生活

　我が家は、長男が小学校に上がったあたりから二拠点の生活を始めました。学校が長期で休みになると八ヶ岳山麓にこもるのです。5月のゴールデンウイークが10日ほど（ほかの休みをこちらに移動して連休にしてくれる小学校だった）、夏休みは30日あまり、年末年始に10日ほど、春休みにまた10日ほどと、年間合わせて約60日。子どもふたりと私は

行ったきり、妻は、週末や祭日、夏は週末＋α（少しずつ夏休みを追加）で行ったり来たり。そんな感じでした。

　我々夫婦は、もともと山好きです。山に行くか海に行くかと尋ねられれば、ふたりとも山と即答するタイプ。結婚したあと、ふたりで、夏休みに中央アルプスや南アルプスを登りに行ったこともあります。子どもたちの名前も、ふたりとも山にちなんだものにしました。八ヶ岳の山荘があるあたりは、会社員時代から年に複数回、遊びに行ってもいました。もちろん、八ヶ岳そのものにも夫婦で登っています。ですから、場所は考えるまでもなく決まった感じです。

　私の仕事はパソコンとインターネットがあればたいがいなんとかなります。なので、仕事ができるようにと山荘に仕事道具一式を持っていってはいましたが、山にいるあいだはなるべく仕事をしないようにしていました。なんだかんだ自然の中で遊ぶのでけがをする危険がありますし、山荘まわり以外で遊ぶなら車で動くしかありませんから。

　といっても、山に行くようになる前と比べてそのあたりが大きく変わったわけではありません。もともと、週末は保育園がないので遊びにつきあう必要があり、子どもが小さいころから「週末には仕事をしない」を基本にしていましたし。また、断りにくいお客さんは仕事が夏枯れするところが多かったので、夏場は勉強などに時間を使っていましたから。変わったのは、翻訳会社経由の仕事について「1ヵ月ほど夏休みです。指名ジョブなどどうしてもというものはやりますが、ほかの人に回せるものはそうしてください」と断れるかぎり断るようにしたことくらいでしょう。そんなこんなで、このころは、夏の1ヵ月に多くても1週間（5日）分くらいしか仕事をしませんでした。そのくらいなら、子どもたちが起きてくる前にたいがいすませてしまえます。

　というわけで、山では子どもの遊びにつきあうことを中心にしていました。子どもたちにとってお父さんとは「学校が休みのときには一緒にあれこれしてくれる人」だったはずです。

　それにしても、家族3人が30日暮らすとなると荷物が大変です。子ど

もたちが小学生では遊ぶものもいろいろと必要ですし。子どもが生まれたとき、2列目シートを前後逆にしてそこにチャイルドシートを置くのが安全とのことで車をワンボックスタイプに買い換えていたのですが、それが満杯になるほどでした。

春休みからゴールデンウイークは鹿角拾いをよくしました。

鹿の角は毎年生え替わります。春先に落ち、秋には新しい角でお嫁さん争奪戦をするのです。生え替わるとき古い角が落ちるので、山の中を歩き回り、落ちている角を拾います。

発端は清里KEEP協会のキャンプ。子どもを参加させたら、鹿角を拾うアクティビティがあったのです（牧場で拾う。牧場の草を食べに下りてきたとき落ちた角がときどきあるので）。拾えるのはだいたい10人にひとり。うちの子どもたちは、ふたりとも、拾えませんでした。そして、どうしても拾いたいとせがまれて、親も一緒に鹿角を探して歩くようになったわけです。

最初の年は拾えませんでした。2年目が2本。3年目からはどんどん増えていきました。一番よく拾ったころには、一日に家族4人で20本以上も拾うようになりました。拾おうと思うと、鹿のことをいろいろと勉強

落ちている鹿角

玄関にも鹿角

196

するので、どういうところを通りそうかなどがだんだんわかってくるからです。毎年拾い続けて、結局、ぜんぶで400本くらい拾っています。鹿角を拾った数では日本一の家庭と言ってまちがいないでしょう。

子どもには「テストに出ないこと」を教える

　とある大学の先生から、研究に使いたいので鹿角を貸し出してもらえないかと清里の山梨県立八ヶ岳自然ふれあいセンターに問い合わせが入ったことがあります。この件、結局、我が家から貸し出すことになりました。自然ふれあいセンターより我が家のほうが鹿の角をたくさん持っているから、と。

　鹿角拾いというのは、登山道を大きく外れて道なき道を歩き回りますし、角を探して下ばかり見ているので方向を失いやすく、慣れていないと危なかったりします。山菜やきのこを採りに山に入って遭難というニュースがときどきありますが、あれと同じことが起きるのです。我が家は、地形や木、目印などを覚えては少しずつ範囲を広げるということをしたので、多少思った方向からずれても「あ、こっちに来ちゃったか。じゃあこうしよう」と臨機応変に歩けましたが、一般にはあまりおすすめできません。山慣れしていない人だと、本当に遭難の危険があります。

　子どもたちが高校生のときは、子どもたちが入っていた生物部を連れて鹿角拾いツアーもしました。高校生ですから、危ないからね、一歩まちがえれば遭難だからねと言い含めておけば、それなりに言うことを聞いてくれます。また、数人ずつのグループに分け（頭に色違いのバンダナを巻いてもらった）、各グループにうちの家族がだれかひとり付き、終始、人数確認をするという形にしました。

　そうそう、拾った角はどうするのかとよく聞かれるのですが、いつも答えに窮します。いろいろ考えて歩き回り、みつけるのがおもしろくて拾っているのであって、なにか用途があって拾っているわけではありませんから。何本かはアクセサリーに加工したり（中学の授業で。クラス

の人数分、鹿角を提供した）、クラフト作家にお願いして表札に組み込んでもらったり（さきほどの写真）、欲しいという方に差し上げたりはしていますが。

　ちなみに、『スティーブ・ジョブズ』の担当編集さんに初めてお目にかかったとき、おみやげとして持っていったのも、そうやって拾った角の1本です。大きいのはじゃまになるだろうと小ぶりのものを選んで持っていきました。

　それにしても、なにごとも熱心にやると違いますね。何年も鹿角拾いを続けたおかげで、角についても、鹿についてもずいぶんと詳しくなりました。最初に生える角はまっすぐな1本角で、生え替わるとふたまたの2本角、次が3本角、それ以降は基本的に4本角でここまでは角で年齢がわかるとか。カモシカはシカというけどウシ科で角は生え替わらないとか。日本のシカはオスにのみ角があるが、トナカイはメスにも角があり、しかも、冬に入ると、とぼしい草の取り合いに子連れのメスが勝てるよう、メスだけが角を生やしているとか。山奥で、100頭を超える大集団が目の前を横切ったこともあります。

　こういうことは学校で習いませんし、こういう経験もふつうはしません。また、我が家は、お勉強は学校に任せ、親は学校で習わないことを教えるようにしていました。なるべく体験を通じて。

　たとえば川遊びでは、危ないと注意したところまで行こうとするのを止めず、流されかけて青くなる経験もさせています。あの恐怖はいまも覚えているそうで、大雨の中、中州でキャンプしていて流された事故が報じられると「川の流れは怖いのに」と言ったりします。街灯も家もない場所で新月だと目の前10cmにかざした自分の手のひらさえ見えないくらいで、夜の闇はすごく怖いことも、ウチの子どもたちは小さいときに経験しています。刃物も小さいころから使わせています。なにせ小学校の入学祝いがクラフトナイフで、鉛筆はそれで削れ、鉛筆削り器は使うなとしていたくらいですから。小さいころはふたりとも不満だったようですが、大きくなると、友だちは刃物を使うのが下手だ、自分がうま

いのはあのおかげなのねとわかってくれたようです。薪割りも小さいころからやらせていますし、火の扱いも教えました。

　モノを作るのは楽しいと思ってほしくて、夏休みの工作を一緒に作るなど、そちらの経験もなるべくさせました。

　たとえば坂を滑りおりるそり。私自身、小学生だったか中学生だったかのときに作っておもしろかったもので、記憶を頼りに工夫しました。私がお手本に1台作ってみせながら子どもが1台作ったのですが、遊びにきた友だちも、みんな、夢中になってずいぶんと遊んでくれました。

　ライフル型の光線銃なんてものも作りました。ディズニーランドのウエスタンランド・シューティングギャラリーみたいなものが作りたいと言われ、工夫したものです。レーザーポインターの発光素子を使っているので（電子回路の設計と基板作成は私がやった）、10mなど遠く離れたところの的でも反応します。夏休み明けの学校でも大人気となり、そのあとしばらくは、これで遊びたいと友だちがよく家に来ていました。

　玄関先に飾っている頭骨付きの鹿角に人感センサーを組み込み、人が近づいたら、目がぴかぴか光って口が動き、「いらっしゃいませ～」と言うようにしたらおもしろいのではないかというアイデアも出たのですが、これは、妻に「びっくりして心臓マヒを起こす人が出かねないからやめて」と言われてあきらめました。でもそんなことがあったので、『イーロン・マスク』を訳したとき、大学生時代、パーティの飾り付けに使おうと、馬の頭の置物の目に赤いライトを仕込んだという話に大笑いしてしまいました。考えることは一緒だな、と。

　芝浦工業大学のロボットセミナーにはまった時期もあります。組み立てたキットを自分なりのアイデアで改造し、最終日にはそのマシンでバトル大会をするのですが、兄弟ふたりとも、地方大会を勝ち抜いて全国大会で優勝など上位入賞するまでやりこみました。

　そんなこんなのおかげでしょう、ふたりとも、「お前ら、テストに出ないことは詳しいのな」と友だちに言われる子どもになりました。

お金になる仕事・お金にならない仕事

ワークライフバランスは3本柱

　状況に合わせて柔軟に暮らし方を変えられるのはすばらしいと思います。

　こういう話になると、よく出てくる言葉がワークライフバランスです。この言葉、一般には、ワークとライフ、ふたつのバランスを取るというふうにとらえられていますが、我が家では、ワークライフバランスは、以下の3本柱をバランスさせるものだと考えています。

- お金になる仕事（会社の仕事や私の翻訳など）
- お金にならない仕事（家事、育児、介護など）
- 余暇などの楽しみ

　この3本柱のワークライフバランスを保つには、それぞれについてなにをどこまでどういうやり方でするのか、臨機応変に変えられなければなりません。

　我が家の場合、子どもがいる生活をするには「お金になる仕事」の柔軟性が足らなかったから、私がフリーランスになるという形でそこの柔軟性を高めたわけです。ここまで極端なことをしなくても、最近は、企業も多少は柔軟な働き方を認めるようになってきているようですし、転職も珍しくなくなってきていて、ライフステージに合わせて転職ということも考えられるでしょう。

　「お金にならない仕事」の部分も、我が家は、夫婦の仕事状況や興味関心などで担当範囲がどんどん変化しています。

　たとえば食事。食べ物について、私はもともと味と量しか考えていなかったのですが、妻は、加工食品を買うときは必ず裏面の「原材料名」

を確認するなど、高い関心を抱いていました。そんなこともあって、結婚以来、ほぼずっと、食事の準備は基本的に妻が担当していました。私が料理をするのは、妻が忙しくなってしまったときとか、独立後なら、長時間煮込む料理を作るとき（在宅フリーランスなので）、子どもたちと3人山にこもっているときだったわけです。ですがいまは基本的に私が担当しています。理由はロードバイクを競技としてやるようになり、食事内容をああしたい、こうしたいというのが出てきたからです。そんな話をしたら、妻から「わかった。好きにして？　私は食べられるものを適当につまめばすむから」と言われ、それもそうだと交代した次第です（妻は食べられないものが多いが、小食なのでこういう話になる）。

　もうひとつ、このバランスは、なるべく短期で収支が合うようにしたほうがいいと思います。

　私が若いころの考え方は、「男は定年まで仕事に打ち込むもの」「楽しいことは、そのあとにじっくり楽しめばいい」でした。世の中一般にそういう考え方が多かったし、私もそう思っていました。

　そんなある日――妻の長男妊娠がわかったちょっと後のことなのですが――穿孔性虫垂炎による腹膜炎で緊急手術となり、一命をとりとめるという経験をしました。腹膜炎は、ふつう、すごく痛むらしいのですが、私はなんかお腹痛いなぁ程度で、とりあえず出社しようとしたところを、受け答えがおかしい、いつもと違うと妻に無理やり病院に連れていかれ、そのまま手術となったのです。執刀してくださった先生には、「1000人にひとりとか、あんまり痛まない人がいて、そういう人が死ぬんだよね。診察の段階でショック症状起こしてたから悪いだろうとは思ったんだけど、開けてみたら思いのほか悪くてね～。お腹、ちょっと追加で切らせてもらったよ」などと言われたほどです。

　そのあと、病院のベッドで思いました。「そうか、定年後って時間はないかもしれないんだ……」と。

　そんなことも、この半年ほど後、私が会社員を辞めてフリーランスになればいいんじゃないかと友だちに言われたとき、その手があったかと

すんなり受け入れられた一因かもしれません。

フリーランスという働き方

　日本の仕事社会は会社員などの組織勤めが中心です。家業をつぐという、ごく一部をのぞけば、みんな、自分は会社員になるんだろうと思いながら大きくなるし、学校を出れば、実際、大半が会社員など勤め人になります。それ以外の働き方など考えることもない人が多く、それこそ、会社員を辞めてフリーランスになるなど「冗談じゃない」「宇宙に移住しようというくらい荒唐無稽な話」と思うほどだったり、やっていけるはずと確かめていても、退職を申し出るのに膝が震えたりするわけです。

　もちろん、フリーランスという働き方は、組織勤めに比べて不安定です。本は長丁場なので出版翻訳に主軸を移してからは半年後くらいまで仕事の予定があることが増えましたが、産業翻訳の時代は、たいがい1週間先くらいまでしか予定は埋まっていませんでした。それから1週間たったころには、そのまた1週間先くらいまで埋まっていることが大半でしたけど、でも埋まる保証はありませんし、実際、1ヵ月くらいほとんど仕事がないなんてことも珍しくありませんでした。順調に仕事ができていれば、1年単位のスパンでそれなりの数字にはなるのですが、リーマン・ショック後など例年の3分の1まで売上が落ちるなんて経験もしています。

　金銭的にも、基本的にフリーランスは厳しいと言わざるをえないでしょう。一般社団法人日本翻訳連盟の『2017年度翻訳白書─第5回翻訳・通訳業界調査報告書─』を見ても、年間売上の中央値は300万円台です。正社員給与の中央値も350万円くらいですから、一見すると似たようなものに感じられるかもしれませんが、この数字に表れない部分に大きな違いがあります。正社員なら厚生年金の企業負担分など、給与以外の形で会社が払ってくれているお金があったりします。退職金もあります。有給休暇もあります。勤続年数が増えれば、給与も上がります。一

生で手にできるお金という意味ではかなり大きな違いがあるのです。

　逆にいい面もたくさんあります。

　フリーランスという働き方、最大のメリットは、やはり、働く時間と場所の自由度が格段に上がることでしょう。私は、自転車のレースやイベントにも仕事を持っていき、行き帰りの飛行機や泊まり先などで仕事をしています。「こんなところまで来て仕事ですか。大変ですね」とよく言われるのですが、私は逆だと思っています。いつでもどこでも仕事ができるから、参加したいと思えばレースもイベントもみんな参加できるわけで、こんなありがたいことはない、と。せっかく遠くまで来たのだから観光したいとか、仲間が一緒に来ていて夜は飲むということなら、それはそれで仕事せずにそっちに行けばいいだけのことですし。

　自分が納得できない仕事は請けなくていいというのも、フリーランスのいいところです。会社員だと、ひとり反対したプロジェクトを会社として「やる」という結論になり、「で、担当はきみね」なんてことになったりします。フリーランスでも、この仕事を請けたのは失敗だったなぁと思うことがありますが、それでも、決めたのは自分自身ですから、まだしもあきらめがつきます。

　仕事のやり方や売り込み方を工夫するときも、上司の許可など取る必要がなく、好きにできますし、成功すれば、その成果はぜんぶ自分に返ってきます。もちろん、失敗もぜんぶ自分に返ってくるわけですが……。

　金銭的には、前述のように、一般に組織勤めのほうが有利なのですが、運を引き寄せる工夫をして、かつ、その運をつかめる実力があれば、組織勤めより稼げるケースもあります。

　産業翻訳は1ワードいくらのワード単価がふつうなのですが、私は、売り方を工夫し、取引先を選ぶことで、業界で一般的なワード単価の3倍くらいで売っていました。これだけ高く売ることができれば、大企業のかなりいい給与より多い収入を得ることも可能です。

　ポイントは差別化だと私は思っています。企業は標準化が大事、個人

は差別化が大事だと。企業は標準化して処理量を増やすことが収益増大につながるのですが、個人は処理量を増やせないので、差別化して高く売ることが収益増大の鍵なのです。

　私は、フリーランスが向いていたようです。妻に「実家から『自分が仕事を続けたいからとダンナに会社を辞めさせるなんて……』と言われた。それはそれで事実ではあるけど、でも、あなた、会社辞めたほうがよかったわよね？」と言われ、「そうだね〜」と返したこともあります。「それなりの席を用意するから戻ってこないか」とありえない提案をもらったとしても戻る気にならないというくらい、私は、フリーランスになってよかったと思っています。

人生最大の資本は健康

疲れを防ぐ翻訳者のデスクまわり

『スティーブ・ジョブズ』の世界同時発売をめざし、ふつうなら10ヵ月かかる仕事を3ヵ月ですませるなんてむちゃができたのは、人一倍、体力があったからです。はい、体力、大事です。仕事をしていくには、いや、健康に楽しく生きていくには、体力が大事です。

　毎日パソコンの前に座りっぱなしの在宅フリーランスには、腰痛に悩まされる人が少なくありません。ですが、私は、そのあたり、ノートラブルで来ています。ひとつには、昔の名残でふつうよりも体幹が強く、姿勢が崩れにくいからでしょう。

・椅子

　もうひとつ、椅子はいいものを買った上でさらに工夫して使っているというのもあります。これはまちがいなく効きます。退職した際、直前まで忙しくて独立後の準備ができず、古い食卓用のテーブルと椅子で3ヵ月ほど仕事をしたら、腰も背中もばりばりになってしまいました。で

も、椅子と机を選んで買ったら、ウソのように楽になったのです。

　最近は、ロードバイクという趣味が増えたので、体幹がさらに強くなりました。ロードバイクは前傾姿勢を体幹で支えて乗るものですから。そして、そのころから、仕事時間を長くした日でも腰が疲れたと思わなくなりました。体幹が強くなって姿勢が崩れなくなったからでしょう。『スティーブ・ジョブズ』から12歳も年を食って『イーロン・マスク』を担当し、5ヵ月も無理を重ねた際にも、腰がつらいと思うことはありませんでした。

　椅子を選ぶとき気をつけたポイントは、座面をかなりの前傾で固定できること。すっと立った姿勢で体重を骨で支えると体への負担が小さくなるからです。最近、スタンディングデスクが話題になっていますが、ああいう姿勢のほうがいいのです。このとき、背中は軽く反る形になります。座面が前傾していると、座っていても背中が軽く反る姿勢になります。

　ひじ掛けの高さや位置も大事です。できれば、肩の真下に持ってきたひじを支えて欲しいところです。ひじを体より前に出すと背中が丸くなり、長時間仕事をしていると背中が痛くなってしまいます。そんなわけで、私の椅子は、ひじ掛けを取り付けている部分に改造を施し、ひじ掛けが体のそばになるようにしてあります（ひじ掛けの幅が狭くて座るときにはぎりぎり）。

　山の家で使う椅子を買ったときにはこの椅子が廃番になっていたので、評価の高かったアーロンチェアを買ったのですが、私にとっては前傾角度が少し小さいし、ひじ掛けの幅が広すぎていまいちでした。

● キーボード

　私の肩幅では、ひじを肩の真下にもってきてキーボードに手を置くと、横一文字のキーボードだと手首を曲げなければなりません。ここも、ひじから指先までまっすぐのほうが楽です。なので、昔は、いわゆるエルゴノミクス形状のキーボードを使っていました。最近は、左右分

昔使っていたエルゴノミクスキーボード

いま使っている分割型キーボード

割型です。女性など肩幅が狭い人は横一文字のほうがよかったりするようですが。

　キーボードは静電容量無接点方式のリアルフォース（東プレ）がヘビーユーザーに人気ですが、東プレは横一文字しかないので私は使えません。実は20年近く前、エルゴノミクス形状のリアルフォースを作って欲しいと申し入れたのですが、「売れる保証がない。いま売れているのはまっすぐのタイプだけ」と断られてしまいました。横一文字のキーボード以外ほとんど売られていないので、「売れているのはまっすぐのタイプだけ」になるのが当たり前なのですが。

　英字キーボードなら、当時から分割型などいろいろと工夫をこらしたものが売られていたのですが、私は、タイピングの回数を少なくするため日本語はかな入力にしているので英字キーボードが使えません。最近になってようやく、日本語配列のJISキーボードも分割型が登場して、昔からやりたかった理想型を実現できるようになりました。キーの種類も、エルゴノミクス時代のメンブレンキーからメカニカルキーになって快適です。なお、メカニカルキーは静音の赤軸を使っています。クリック感がなく、底付きするまで打たなくても入力できるタイプなので、指に優しいと感じています。

- マウス

　マウスとマウスパッドもこだわりの品です。

　マウスは、ロジクールのゲーミングマウス、G700（13ボタン）です。何年も前に終売になりましたが、いまだにこれ以上のマウスをみつけられず、使い続けています（予備を数個ストックしています）。有線にも無線にも対応しているのですが、私は有線で使っています。マウスを軽くして動かしやすくするためです。有線のラインも、製品同梱の太いものではなく、動かすとき抵抗にならない細いものを探して用意しました（最近は充電兼用で太いものばかりになっていて、細いものはなかなかみつからない）。

マウスパッドはパワーサポートのエアーパッドプロ。エアーパッドプロに同梱のエアーパッドソールをマウス底部に貼り付けてあると、マウスがすごく軽く動きます。なので、わずかな動きでカーソルが大きく動くように設定し、大半の動きは指先だけでできるようにしています。ごく軽い力で指を少し動かすだけでマウスが操作できるので、いわゆるマウス腱鞘炎になるおそれはあまりないはずです。

このような工夫をすれば体の負担は減らせますが、そもそも、体を鍛えておかないと苦しいのもまちがいありません。

東大スケート部と国士舘相撲部の共通点？

私の両親は、「音楽と体育を奨励」というちょっと変わった親でした。小学校時代、算数や国語の成績はよくても悪くても特になにも言われないのですが、体育の成績が上がるとご褒美になにか買ってもらえたのです。両親とも音楽と体育が不得意で、そのせいでいろいろとつまらない思いをした、同じ思いを子どもにさせたくない、そう思ってのことだったと聞いています。

その結果、私は、フィギュアスケートの全日本選手となり、姉は大学で音楽を教える道に進んだわけで、効果絶大だったと言えるでしょう。そういうことをウチの親がめざしていたとは思いませんが……。

フィギュアスケートというと「華麗」などという形容詞が浮かびますが、実は急加速したり全力で飛び上がったりとインターバルがかかりますし、ジャンプやスピンのあいだは息を止めていることも多く、体力をすさまじく使います。なんだかんだ言って、やっぱりスポーツなんです。そして、下位争いとはいえ、一応は全日本にも出るレベルとなれば、やはり、常人とは比べものにならないくらい体を鍛えていることになります。

そこまで鍛えれば体は変わります。

たとえば血圧。学生時代の血圧は155/50mmHgくらい。最高値が140mmHgを超えると高血圧、最低値が60mmHgを切ると低血圧という

のが一般的な診断基準ですから、高血圧で低血圧というわけのわからない状態です。医者に行くと、どこでも、「あれ？　あれ？」と3回は測られていました。いわゆるスポーツ心臓になっていて、1回の拍動で大量の血液を押し出すから最高値が高くなるわけです。ただ、血管のほうも対応していて柔軟性がとても高いため、最低値は低くなる。心臓も血管も人並みではないので、血圧がおかしくなるのは当然です。

そうなれば脈拍もふつうではいられません。学生時代は安静時で48回／分でした。ふつうは50〜100回で、50回を下回ると不整脈と言われます。50代で自転車を始めたらそこからさらに下がり、36回／分まで落ちてしまいました。フィギュアスケートはインターバル系のスポーツ、自転車は持久系のスポーツだからでしょう。Apple Watchを買ったときには、夜中に低心拍アラートが何回も出て起こされ、往生しました。10分以上、心拍数が設定値を下回ると警報が出るのですが、この設定が40、45、50の3択しかないのです。しかたなく、この警報はオフにしました。

血液の流れ方もかなり変わっていたようです。

大学のとき、体育の先生から「血流の研究をしているのでデータを取らせてほしい。血の流れ方からいろいろなことがわかるので、食生活とか、こうしたほうがいいよとフィードバックを返してあげるから」という話がありました。別にいいんじゃない？ということで、クラス全員、データを取ってもらいました。そして翌週。一人ひとり、「きみはこういう流れ方でこれこれに気をつけたほうがいいよ」などと話がありました。私の番が来ました。

「きみ、きみねぇ……なにかやってる？　ウチの大学（東大）には珍しいパターンなんだよね。典型的なハードトレーナーの血流。国士舘の相撲部とかだとこんなのばっかりなんだけど……」

そうですか、国士舘の相撲部ですか。私、フィギュアスケート、なんですけど……。

体育学科に進んだ友人に頼まれ、有酸素運動能力を測ったこともあり

ます。結果は、「全日本クラスのスピードスケート選手に匹敵」だそう
です。フィギュアスケート、華麗なのは見た目だけなんですよ。

トレーニングは裏切らない

　そこまで鍛えた体力も、運動をやめれば落ちていきます。はい、そう
いう意味でも、トレーニングは裏切らないのです。

　フィギュアスケートの選手を引退して運動量は大きく落ちました。就
職後は仕事も忙しくなりましたし、子どもが生まれればなおさらで、運
動らしい運動をしなくなりました。特に会社員を辞めて翻訳者になった
あとは悲惨です。なにせ在宅です。1日1万歩歩くなど夢のまた夢で、朝
から晩までパソコンの前に座りっぱなし。それでも子どもたちが保育園
のあいだは送り迎えで自転車に乗っていたからまだしもだったのです
が、ふたりが小学生になるとそれもなくなってしまいました。食事には
一応注意していたので、選手をやめて激太りということもなければ、20
代や30代でお腹ぽっこりということにもなりませんでしたが、40代に
なるとさすがに太り始め、年に1kgずつくらい増えるようになりました。

　運動不足なのはあきらかです。どうにかしようと、子どもの手がかか
らなくなってきたころ、ジョギングに水泳、スポーツジム、山登り、ノ
ルディックウォーキングと、いろいろトライしてみました。いずれも長
続きしませんでした。スポーツジムなんて、結局、1回も通わず解約す
るていたらくです。山登りは2年くらい続きましたが、月に1回、丸一日
歩くくらいでは運動不足の解消になりませんでした。

翻訳がきっかけでロードバイクにハマる

　『スティーブ・ジョブズ』のプロジェクトは過酷で、実はそのあと、何
年か、燃え尽きていました。『スティーブ・ジョブズ』刊行後、年明け
くらいから書籍の仕事も再開したのですが、集中力が続きません。仕事
をしている時間と休憩をしている時間、どちらが長いかわからないほど
です。睡眠も不規則になりました。夜中になんども目が覚めてしまい、

寝た気がまるでしない。2時間、3時間しか眠れない。疲れはあきらかに
たまっていくし昼間に居眠りをしてしまったりするというのに、です。
睡眠外来に行くべきだろうとなったほどです。

　いまふり返ると、おそらく、いわゆる燃え尽き症候群になっていたの
だと思います。

　ここから私を救ってくれたのが自転車、ロードバイクでした。『ステ
ィーブ・ジョブズ』の翻訳から1年あまりあと、おもしろくなって本格
的に乗り始めたら、夜も眠れるようになったし、昼間もふつうに仕事が
できるようになりました。体をよく動かすようになったこともよかった
し、楽しめることができたのもよかったのでしょう。

　燃え尽き症候群が極端に悪化しなかったのは、妻のおかげでもありま
す。

「引退する？　したいならしてもいいよ。子どもたちの学費も、ぜいた
くしなければ老後なんとかなるくらいのお金も『スティーブ・ジョブ
ズ』で入ったでしょう？　だったら、無理に続けることないじゃん。私
の稼ぎも一応はあるんだし。そういう話とは別に続けたいのならそれは
それでいいんだけどね」と言ってくれたのです。まだまだ仕事をがんば
らないとまずい──そう思ってあせったら、きっと泥沼化していたこと
でしょう。

　ロードバイクに乗り始めた直接的なきっかけは、両足続けて靴ひもを
結ぶのが難しくなってしまったことです。靴ひもを結ぼうとすると腹が
つかえて息ができず、片側を結び終わったら一回体を伸ばして息を吸わ
ないと倒れそうなのです。

　さすがにまずい。そう思いました。妻にも言われました。

「運動は仕事だと思いなさい。何曜日の何時から何時は『運動』という
仕事が先約で入っていると考え、残りの時間でできる分だけ仕事を引き
受けるようにしなさい。もう少し暇になったらちゃんと運動するって言
うけど、あなた、暇にならないじゃない」

　そのあと始めたのが自転車（ロードバイク）で、いまにいたります。

この件には前段があります。きっかけは2009年に『ランス・アームストロング　ツール・ド・フランス永遠のヒーロー』（アメリカン・ブック&シネマ、以下『ランス・アームストロング』）の翻訳を担当したこと。知り合いの編集さんから紹介されたときには、「ロードバイクが趣味の翻訳者仲間を紹介するんだろうな」と思っていました。ところが、詳しい話を聞くと、ツール・ド・フランスの開幕にまにあわせるため超特急で訳してほしいというではありませんか。正直、人に紹介するにはしんどすぎるスケジュール。しかたないかと自分で訳すことにしました。そして、本が出版されると、案の定、紹介しようかと思っていた翻訳者仲間のいずれからも「乗ってもいないのに」とツッコミが入りました。それはそうでしょう、逆の立場なら私もツッコミ入れますもん。それはともかく、そのひとりから、「せっかくなので、自転車、買いません？　楽しいですよ」と言われたのです。

　ロードバイク、おもしろいかもと思いました。学生時代には自動二輪でツーリングをよくしていたくらいで、二輪なら乗って楽しいかも、と。でも、ロードバイクってどこで買ったらいいのかとか、わからないことだらけです。そんなこんなでぐずくずしていたら1年たってしまいました。

『ランス・アームストロング』の1年後に担当したのが『スティーブ・ジョブズ　驚異のプレゼン』です。これが評判になったとき、さきほどの仲間に言われました。「井口さん、この本が10万部売れたら自転車買いません？　自分へのご褒美ということで」

「あ〜、いいね。そうしようかな」

　いくらなんでもそこまでは難しいだろうと思いつつ、こう答えました。

　ところが、この本、わりとすぐに10万部を突破してしまいました。

　というわけで、いろいろと調べ、『スティーブ・ジョブズ』の翻訳が終わった翌年、2012年のはじめにロードバイクを購入しました。買ったのはブリヂストンのロングライド用モデル、アンカー RFX8です。山

の家はまわりが坂だらけなので、ふつうより軽いギアにしてもらいました。それでも、山に持っていくと、上りの半分くらいも押して上がらないといけません。それなりには楽しいのですが、それなりでしかありません。東京は車と信号が多く、こちらも、走っていてあまり楽しくありません。

　これを打開してくれたのが、翌年購入した3本ローラーです。この上で自転車に乗ると、その場で動かず乗っていられるというものです。バランスは自分で取らなければならないので、それなりの緊張感があります。風景が変わらないのはデメリットですが、そのかわり、前にテレビを置けば、録画しておいた番組などを見ながら乗ることができます。戦闘シーンがあったりすると、つい、敵機を避けてバランスを崩したりするので注意が必要ですが（実際、映画『トップガン』を観ていてやらかした）。

　一番の利点は、車が多い家の近くを走るという苦痛がなくなること。これを買ってからしばらく、ほぼ毎日乗るようになりました。その結果、週に1kgずつ体重が落ちていくことに。もちろん、落ちているのは体脂肪です。10週間あまりたつとさすがに落ちるスピードが下がりますが、なんだかんだ、1年間くらいは少しずつ下がっていきました。結局、80kgに迫るところから60kg台前半まで、15kgほど体重が減りました（身長は173cmで体脂肪率は一桁）。ちなみに、これだけ体を動かすとお腹が空きます。というわけで、食べる量は、むしろ増えたというのに、です。

　これだけ軽くなると体が動くようになります。脂肪は落ちて筋肉はついているのでなおさらです。体が動くようになると動かすのが楽しくなります。前は上れなかった坂道も上れるようになります。

食事とコーヒーでリズムを作る

　健康管理には食事も大事です。体を鍛えたいのであれば、特に注意する必要があります。ポイントは、体をよく動かすのに適した内容を、消

費カロリーに合う量、食べること。おおざっぱに言えば、野菜多め、タンパク質多め、油少なめ、炭水化物適量という感じです。

で、そんな食事がいいんだよねという話を妻にしたところ、前述のように、こう言われたわけです。

「うん、わかった。好きにして？　なんでも好きに作って食べてくれればいい。私はどうせあんまり食べないから、食べられるものを少しずつもらえばいいから」（妻は食べられないものがいろいろとある）

学生時代、私は自炊をしていました。フィギュアスケートの選手をしていた関係から食べる量がだいたい2人前と多く、自炊しないとお金が足らないという切実な問題がありましたから。ですが、結婚したあと、食事の準備は基本的に妻が担当しました。子どもたちが小さいときも栄養バランスとか添加物うんぬんとかいろいろ気になる妻が担当したほうがよかったと思います。でも、子どもたちが家であまりご飯を食べなくなり、夫婦ふたりで私がこだわるのなら、それは、私がやったほうが合理的でしょう。

というわけで、いま、家の食事は基本的に私が用意する形になっています。

翻訳者仲間には料理が趣味で、仕事のいい気分転換になるという人もいますが、私は、料理そのものにはあまり興味がありません。でも、おいしいものを食べるのは好きですし、おいしく飲むのも大好きです。そのためなら、多少の手間をかけることはいといません。また、パンや卵などは少しいいものを買っていますし、山ごもり中は野菜が安くておいしいので、私程度の腕で料理しても素材のおかげでおいしく仕上がります。

2023年に『イーロン・マスク』で非常事態スケジュールになったときも、しっかり食べていました。昼の豚汁と夜のラタトゥイユは作り置きで常備が基本です。一日30品目を目標にバランスよく食べましょうと昔言われていましたが、この2品だけで20品目弱も素材を使っていて、全体では30品目近くに達するのがふつうです。一日30品目も食べると

食べ過ぎがちになるからと、最近は、もっと少ない品目数でいいと言われるようになっていますが、私はロードバイクのトレーニングで運動量が多いので、このくらい食べても大丈夫なのです。

• ある日の朝食

サラダ（キャベツ、トマト、フライドオニオン、ポン酢）
スープ（無塩野菜ジュース、パセリ）
卵2個
パン（4枚切りの3枚おろし。ハチミツや低糖ジャムを薄く塗る）
フルーツ（ぶどう数個）

• ある日の昼食

豚汁（脂身を切り落とした豚こま、かぼちゃ、ニンジン、タマネギ、ゴボウ、キャベツ、しめじ、油揚げ、ワカメ、味噌）
麻婆なす（なす、ピーマン、大豆ミート）
ほうれん草（ほうれん草、ゴマ、ノリ）
米化オートミール
納豆（納豆、わさび）
ナメタケ
フルーツ（ぶどう数個）

• 別のある日の昼食

サラダ（キャベツ、トマト、フライドオニオン、ポン酢）
カレー（豆腐、なす、しめじ、大豆ミート）

•ある日の夕食

枝豆
焼きしいたけ（しいたけ、醤油）
プチトマト
ラタトゥイユ（ニンニク、ベーコン、セロリ、ズッキーニ、ニンジ
ン、タマネギ、しめじ、水煮トマト、ひよこ豆、ココナッツカレ
ー）
ブロッコリーグラタン（タマネギとトリむね肉としめじのワイン
煮、ブロッコリー、チーズ、パセリ）
ビール

　フルーツ、夏場は八ヶ岳の麓で山ごもりしていますから、山梨の桃、プラム（私は真っ赤なソルダムが好み）、シャインマスカットやナガノパープルといったぶどうなど、東京の感覚からは信じられないくらい安くておいしいものが手に入ります。冬場はリンゴかみかんですね。妻の両親は長野出身なのでリンゴ、私は両親が九州なのでみかん。というわけで、そのふたつをあれこれという感じです。

ビールをあきらめない「ゆるいダイエット」

　ダイエットの本も何冊か読みましたし、低糖質（ローカーボ）のダイエットやケトジェニックダイエットなどもそれなりにトライしてみました。で、思いました。きっちりやるの、私には無理だな、と。というわけで、やり方はかなりアバウトです。
　基本は、さきほども書いたように、バランスのいい食事をちゃんと食べて絞る、です。我々人間の体は、食べた物でできているのですから。
　楽しむものは、お菓子など私にとって優先順位が低いものは回数を減らすなどしますが、ビールなど、譲れないものは減らしません。ビールは糖質の塊で、ローカーボダイエットをする人なんかはまっさきに切る

らしいですが、私はビール党なので。自転車イベントで地方に行くと、地ビールを探して1時間もあちこち回ったりするほどです。ビール党といっても一般的なものとは大きく違うタイプが好きなので、大手ビール会社よりローカルな小規模ブリュワリーのものがいいのです。

　ふだんの飲み物は、基本的に糖分なしの甘くないものにしています（甘い飲み物、おいしいとは思いますが、私にとって優先順位が低い）。

　一番よく飲むのはブラックコーヒーです。実は昔からコーヒー大好きでこだわっていて、学生時代には喫茶店のマスターになりたいと思っていたこともあるほどです。

　豆は、那須の珈琲工房なるお店から通販で買っています。「ホワイトマウンテン」というモカブレンドがメインです。2014年に自転車のイベントで行ったときに立ち寄って気に入って以来ですから、もう10年になりますね。挽いていない豆を買って冷凍庫に保存し、毎回、1杯分ずつ手で挽いてドリップしています。ミルは、粒度がそろうと言われるコマンダンテをおごっています。淹れる器具は、学生時代はサイホンでしたが、いまはドリップでハリオのダブルステンレスドリッパー・粕谷モデルを使っています。仕事中はちびちび飲むので、保温性の高いハリオの2重ステンレスマグ、ミオ・ルーヴというものに淹れています。

「ちょっと自転車で蓼科まで」

　というわけで、おもしろそうなコースを探しては走りに行く、ヒルクライムレースにも参戦してみるという具合でロードバイクに一気にはまってしまい、いまにいたるわけです。やはり、楽しくないと続きませんね。

　2012年4月に初めて乗ったときは、狭山丘陵の多摩湖まで平坦を往復40kmくらい走りました。それなりには楽しかったけど、多摩湖周辺はまだしも行き帰りは車が多くて閉口しました。

　3本ローラーで体ができてきた2013年4月頭、100kmに初挑戦したときは、最悪、電車で帰ってこられるようにと青梅線の沿線を走ることにし

ました。自転車で100kmなんて本当に走れるのかと思ったのですが、意外に体ができていたようで、この日は結局、140kmも走っています。

これに気をよくして、その2週間後には、東京都の道で一番標高の高い奥多摩風張峠に上ってみました。そしてその後しばらくは、奥多摩と高尾方面が中心。7月には最大勾配が30％近い通称「ラピュタ坂」にもトライしています。ちなみにこの日の体重は67kg、体脂肪率は13％でした。体はかなりできていましたが、前輪が浮かないよう前荷重にすると後輪が滑る、後輪が滑らないようにすると前輪が浮くという状態で足をついてしまいました。テクニック不足です（いまなら上れる）。ちなみに、ヒルクライムレースの初参戦は、2013年6月の東京ヒルクライムHINOHARAステージでした。

何年か走ってみると、ヒルクライムに向かない脚質らしいとわかったので、いまは、ロードレースとエクストリーム系ロングライドを中心に走っています。

ロードレースは夏のニセコクラシックと秋のツール・ド・おきなわです。ニセコクラシックは、35歳以上だと細かく5歳刻みのクラス分けになっているので、年代別の表彰台を目標に掲げていて、実際、2017年と2019年には年代別の3位で表彰されています。

また、ニセコクラシックで出走者の上位20〜25％（基準は年によって違う）に入れば日本代表としてUCI（国際自転車競技連合）の世界選手権に出られるので、世界戦の場所によっては家族旅行を兼ねて参加したりしています。

ツール・ド・おきなわは、だんだんと距離を伸ばし、いまは「ホビーレーサーの甲子園」と呼ばれる市民200kmを走っています。スタートから6時間半あまり、飲み食いしつ

ニセコクラシック（2022年）

つ、止まらずに走り続けるレースです。

　自転車乗りは100kmくらい当たり前に走る人種で一般の人からは頭が
おかしいと思われたりするのですが、エクストリーム系ロングライドは
自転車乗りの中でも「あれに参加する人は頭がおかしい」と言われるも
のだったりします（自転車乗りの世界で「頭がおかしい」とか「変態」
とかは褒め言葉である）。

　たとえば2018年の春に参加した、なるしまフレンドという自転車販
売店主催の「蓼科ロングラン」。土曜日早朝に東京を出発し、わざわざ
山のほうを大回りして、距離214km、獲得標高（標高で何メートル上
ったのか、上りだけを足し合わせた数字）4000m強を走って蓼科に1泊
し、翌日、また東京まで走って帰ってくるというものでした。この前
日、翻訳を担当した本のイベントが都心であったので出席したのです
が、担当編集さんと次のような会話になりました。

「明日がきついので、2次会はパスし、ここが終わったら急いで帰りま
す」

「朝早くからどっか行くんでしたっけ」

「はい。4時に起きて自転車で蓼科まで」

「それは大変ですね。蓼科までは車で行って……？」

「いえ、自転車『で』蓼科まで行きます」

「え……」

　それがふつうの感覚でしょう。私からあれこれ話を聞いている妻でさ
え、蓼科に泊まった翌朝、こんなメッセージを私とやりとりしたくらい
ですから。

「体調はどう？　元気？」

「うん、大丈夫。いま、どういうコースにするか、みんなで検討中」

「コースって……今日も走るの？」

「走らなきゃ帰れないじゃん」

「………」

1日に獲得標高で5000mも6000mも上るThe PEAKSというイベントもあって、これは参加するだけで「変態」だと自転車仲間に言われるのですが、その中でも私は「ド変態」設定と言われる、距離や獲得標高が増えて制限時間は短くなるパターンで走っていたりします。

　自転車の楽しみ方はさまざまで、別に長く走れたりきついコースが走れたり、速く走れたりする必要はありません。ただ、私は根が体育会系ということもあって、どこまでできるかやってみたくなってしまっただけのことです。

　いま、自転車は基本的に週6日乗っています（1日は休足日。体を休めるのも大事なトレーニングである）。平日4日はローラー台のインターバルメニューで1〜2時間、週末2日は外で3〜6時間の長めライドが基本です。筋力トレーニングも多少やりますし、夜はお風呂上がりにストレッチをしています。

　パワートレーニングのインターバルメニューは信号がある外では難しく、室内のローラー台が基本になります。そのため、家族には、「回し車で走ってるハムスターみたいだ」とよく言われます。

　家族の前でやっていたことで思わぬ効果もありました。

　我が家は「どういうことにせよ、がんばっている人は応援する」をモットーにしています。ですが、長男は、高校生のころ、この件で不満をつのらせていました。「剣道も将棋もがんばっているのに、あんまり応援してもらえない」とぼやいては、妻に「あれはがんばってるうちに入らない」とお尻をたたかれていたのです。

　私が自転車を始めてしばらくたったとき、その彼が、ぽろっと漏らしたのです——「高校時代、ぼくはあんまりがんばっていなかったのかも。お父さんの自転車見てるとそんな気がする」と。

　私はもともと体育会系ですし、妻も大学フィギュアスケート部の後輩で（卒業は一緒だけれど）体育会系にかなり寄っていますから、夫婦ふたりの感覚が一般からかなりずれているのだろうとは思いますが。

休息を忘れては意味がない

　体力をつけるには、運動と食事のほか、休息も大事です。このままじゃ苦しいなと体に思わせたあと休むから、体がそれまで以上になろうとがんばってくれるわけです（食事はそのときの材料になる）。特に年を取ってくると回復力が落ちるので、体が休まる生活を心がけることが大事になります。

　やり方は人それぞれ違うはずです。私の場合は、『スティーブ・ジョブズ』プロジェクトのところでも触れましたが、夜早くに寝ること。目標は9時半。寝る時間が30分、1時間と遅くなっただけで、とたんに疲れが残り、しんどくなっていきます。寝る時間が遅くなると睡眠が浅くなるようです。私はそういうタイプということなのでしょう。

　私も会社員時代は夜型の生活をしていました。前述のように通産省の外郭団体に出向していたころなんて午前様続きだったほどです。実は超朝型らしいとわかったのは、子どもが生まれ、寝かしつけを担当してからです。ウチの子たちは、親が寝かしつけようとしてもなかなか寝てくれませんでした（こういう子、実は少なくないのではないだろうか）。でも、親が寝てしまうと一緒になって寝てくれるのです。なので、最初のころは、子どもと一緒にいったん寝て、1時間ほどで起きていろいろしてから本格的に寝るということをしていました。でも、いったん寝て起きたのではいまいち頭は働かないし、一日に2回も起きるのはしんどかったりもします。なら、いっそ、子どもと一緒に寝てしまい、朝早くに起きたほうがいいかもとトライしてみたのです。そうしたらこれが調子いい。というわけで、寝かしつける必要がなくなってからも、朝型の生活を続けることにしました。

　いま、夜の生活リズムは、寝る時間から逆算して作っています。9時半に寝るためには、遅くとも7時半には夕飯を食べ終わっている必要があります。また、夕飯はビールを飲みながらゆっくり食べ、仕事の緊張から頭を解放する時間でもあります。なんだかんだまとめると、理想的

221

には5時半から7時くらいに食べるのがベスト。そのためには、夕方5時には仕事を終える必要があります。

　最近、自分ひとりで山ごもりをしているあいだはこのパターンで生活を回せますが、東京側では、妻の帰宅時間という問題があります。なので、妻が用事で遅くなるなら5時台に夕飯を始める、ふつうに帰ってくるなら帰ってくるのを待って7時前後から夕飯になります。7時前後から夕飯だと微妙に調子が悪いのですが、そこはしかたがないでしょう。

　朝型だと夜のつきあいが難しいという問題もあります。組織勤めの友人とだと、飲み会が夜7時からとか下手すれば8時からとかになり、飲み会のあいだに寝る時間になってしまうことも珍しくありません。帰宅に1時間以上かかったりするのに……。フリーランス仲間の集まりでも、夜のつきあいなら、早くて5時からがいいところでしょう。終われば7時か8時、そこから帰れば、やはり、いつもの時間に寝るのは無理です。なので、夜のつきあいは、翌日、調子が悪くて半日つぶれてもいいと思うなら行く、そこまでできないと思うときには欠席するということにしています。

　朝は、基本的に目覚ましなしで目が覚めたら起きる、にしています。睡眠時間が短めでも目が覚めるならそれで大丈夫ということだろうし、いつもの時間に目が覚めないならそれは疲れていて睡眠がもっと必要だと体が判断したということなのでしょうから。いいかげんトシで、どうしても朝早くに目が覚めてしまうようになってきたというのもあります。

　2011年に『スティーブ・ジョブズ』の翻訳を進めていたとき、夜寝る時間はずっと9時半で一定でしたが、朝起きる時間は、最初のころ3時半から4時だったものがだんだんと遅くなり、最後は5時半から6時くらいになっていました。その分、仕事時間が短くなるわけですが、それはしかたありません。無理して倒れたら元も子もありませんから。対して2023年の『イーロン・マスク』は、最後まで、朝起きる時間が変わり

ませんでした。これは、加齢による体力低下より自転車による体力向上
が大きかったからでしょう。

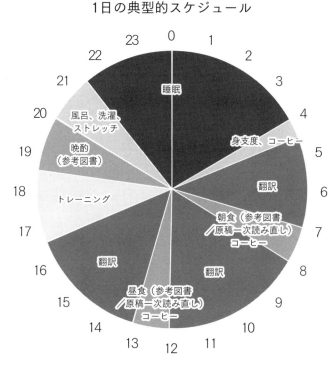

1日の典型的スケジュール

『イーロン・マスク』プロジェクト中の生活パターン

　朝、起きたら、体組成計に乗ってから着替え、コーヒーを淹れて仕事
にかかる、が日課です。体組成計は、毎日、同じような時間・同じよう
な条件で測って比較することが大事なので、朝、乗るようにしていま
す。どうせ着替えで服も脱ぐからちょうどよいのです。冬はさすがに寒
くてちょっとつらいですが……。

　なお、疲労回復とアルコール処理は同じ内臓が担当するので、アルコ
ールは避けるべきだと言われます。ですが、私の場合、仕事をすると目

がさえて眠れなくなるので、アルコールでリラックスしたほうがいいと
考えて（言い訳して？）かまわず飲んでいます。『スティーブ・ジョブ
ズ』のときも、350mlのビール1缶を晩ご飯のとき飲んでいました。最
近は自転車のトレーニングという面でもアルコールは避けたほうがいい
と言われますが、ビールをやめたらなんのために自転車乗っているのか
わからなくなるので、ここは譲れないと思っています。

腰痛知らずでぐっすり眠れる体に

　自転車という運動を始めたおかげで、いろいろといいことがありまし
た。

　まずは血圧の心配がなくなったこと。年を取るにつれて血圧が上も下
も少しずつ上がり、医者から「そろそろ血圧計を買って定期的に測るよ
うにしなさい」と言われるくらいになってしまいました。それが自転車
を始めたらすっと下がったのです。血圧計、まだどこかに置いてあるは
ずですが、もう何年も使っていません。

　長時間座っていられるようになったのも大きなメリットです。我々翻
訳者の職業病と言われるものに腰痛があります。ですが私は、椅子やキ
ーボードなど、体に負担がかからないように工夫をしてきたおかげか、
腰がつらいと思うことはもともと少ないほうでした。それが、自転車を
始めて、まったく気にならなくなりました。体幹がしっかりして姿勢が
崩れなくなったからでしょう。

　睡眠も安定しました。一時期眠りが浅くてつらくなり、睡眠外来に行
こうかという話にまでなっていたのですが、運動で適度に疲れるせい
か、ぐっすり寝られるようになりました。

　服は大半がぶかぶかで買い換えになりましたし、自転車もそこそこお
金がかかる趣味なので出費は増えましたが、このくらいは対価としてし
かたありませんし、医療費がかさむよりよほどいいでしょう。

　それもこれも「運動は仕事だと思え」とアドバイスしてくれた妻のお
かげだと言えます。もっとも、最近は「運動は仕事だと思えとたしかに

言ったけど、そこまでやれとは言ってない」と言われていたりします
が。自転車レースは密集した集団で走るので、他人の落車に巻き込まれ
てけがをするなどもありますし、この年で体脂肪率を一桁まで絞るのは
けっこうな負担だったりしますし（体脂肪率、シーズン中は8％、シー
ズンオフは12％を目標にしている）。なにごともほどほどが一番で、過
ぎたるは及ばざるがごとしですから。

エピローグ

　2023年1月24日、1通のメールが届きました。つきあいのない出版社さんからです。

　「急ぎ相談したいことがございます」とのこと。ありがたい話です。我々の仕事は、こうして声をかけてもらうことからスタートするのですから。

　ただ、この年はすでに3冊予定が入っていて、秋口まで、外せる仕事は外してもらうほどに手一杯の状態でした。せっかく声をかけていただいたのに、これは無理だ、断るしかない。メールを読んだ瞬間、そう思いました。

　ただ、せっかく声をかけてもらったわけですし、「無理です。お断りします」と事務的なメールを返すのではなく、会うだけは会うことにしました。断るにしても、あとに続く断り方をしたほうがいいですから。

　ところが、話を聞いてみると、とても大変だけど、とてもおもしろそうな話なのです。

　モノは『イーロン・マスク』の公認伝記。私が翻訳を担当した『ジェフ・ベゾス　発明と急成長をくりかえすアマゾンをいかに生み育てたのか』(日経BP)にも宇宙開発のライバルとしてくり返し登場していて、おもしろそうな人だなぁと思っていたところでした。条件は、分量が15万ワードで、原稿は3月頭に届いて6月半ばに訳稿アップと翻訳期間が3ヵ月半。そして、世界で同時に発売することになっている。なんだかどこかで聞いたような話です。というか、まるでデジャブ。『スティーブ・ジョブズ』も、当初の話は15万ワードを3ヵ月半で訳して世界同時発売、でしたから。それもそのはず、著者もウォルター・アイザックソ

ンで同じなのです。

　また、声をかけてくれた編集さんが私の訳書を何冊も読んでいて、訳の方向性とかもすごく気に入ってくれている、だからこそ、この本はぜひに、ということでした。そこまで言われて悪い気などするはずがありません。正直なところ、この編集さんとなら仕事をしたいと思ってしまいました。

　やりたい。でも無理なものは無理。

　共訳という道もありますが、正直なところ、私にはできる気がしません。私はさまざまな制約条件を最大公約数的に満たすよう組み上げるという作り方をしているのに、できあがった訳文は勢いに任せて走るような、かなりはっちゃけたものが基本です。共訳者の訳文と雰囲気をそろえるのが大変そうです。そもそも、私としては理由があってはっちゃけた訳にしているわけで、相手に合わせてそこを曲げるのはできたらやりたくありません。

　問題はほかにもあります。『イーロン・マスク』に集中できたとして、いまの自分に過酷なスケジュールがこなせるのか？　『スティーブ・ジョブズ』だって倒れる寸前まで行ったのに、それから12年がたち、12歳、年を取っているのです。52歳できつかったことを64歳でできるのか。ふつうなら、考えるまでもなく「無理」です。でも私は、『スティーブ・ジョブズ』のあと、ロードバイクにはまり、そのトレーニングで体力はむしろ上がっていると感じています。であればなんとかなるかもしれません。

　ああ、予定さえ詰まっていなければ……。

「……すみません、実はもうスケジュールが満杯でして……」と断りかけたところで、ふと、思いました。ダメ元で、先約の後ろ倒しを頼んでみようかな。すでに取りかかっている本はさすがにどうにもならないけど、そちらもこれから全速力で進めれば、この原稿が届く少し後くらいには訳し終えられるはずだろう。

　だから、「返事は少し待っていただけますか。いますぐ答えろと言わ

れたらお断りせざるをえません。でも、私としてはぜひやりたいので、他社さんと調整を試みます」とお伝えしました。

　まずは、夜、帰宅した妻に相談です。子どもたちはふたりとも社会人になり、手間のかかる親業はなくなりましたが、日常生活のしわ寄せがあれこれ妻に行くことになるからです。

　これには「おもしろそうじゃない。がんばってみたら？」と言ってもらえました。やった〜。

　翌日早朝、頭を冷やしてから、先約の出版社さんに宛て、お願いのメールを書きました。身勝手きわまりないメールです。どうしてもやりたい話が飛び込んできたから、お約束している2冊を2冊とも後ろ倒しにしてもらえないかというのですから。

　その日の午後イチに回答が来ました。関係者で相談した、1冊は持ち越し、1冊は年内出版で調整がつくならいいことにする、と。1冊はどうしても年内に出す必要があるというのです。私が思っていた以上に無理なお願いだったようです。それでも、大迷惑だけど、がまんしてくれると言っていただけたわけです。ありがたい話です。

　というわけで、一生に一度で十分、二度と御免だと思った世界同時発売縛りのきつい翻訳を、またもやることにしてしまいました。

　前回は『スティーブ・ジョブズ』の22万ワードと先約の本8万ワードの合計30万ワードを4ヵ月半、今回は『イーロン・マスク』20万ワード（はい、今回もまた予定より増えました）と先約の本10万ワードの合計30万ワードを5ヵ月です。スケジュールのきつさは似たり寄ったりです。予定より原稿が増える、原稿の到着が遅れる、原稿が特殊でブラウザで見ることしかできない（ダウンロードはもちろん印刷もできない）、改稿の連絡が山のように入るなどなど、話が違うよと言いたくなることがてんこ盛りだったのも前回同様です。

　違いは、子どもたちの世話がなくなったこと、ロードバイクのおかげで前回より体力がついていたこと、経験値が上がっていて、どうせあれこれ予定外のことが起きまくるんだろうなと予想し、その分の余裕を作

っておくなどできたことでしょう。おかげで、最後まで倒れそうにはならずたんたんと走りきることができましたし、最後のゲラを提出したときには、思わずガッツポーズが出るくらい「やった〜」と思いました。『スティーブ・ジョブズ』のときは、体力的に限界で、達成感もへったくれもなく、ただただ死んでいたんですけどね。

　ただ、走りきったあと、1週間か10日ほどは、一晩寝るごとにしんどくなっていくというわけのわからない状態になっていました。気を張っていたから気づかなかっただけで、体の芯に疲れが凝り固まっていて、一晩寝るごとに疲れが溶け出してきたのでしょう。

　ちなみに、前回の『スティーブ・ジョブズ』は、世界同時発売という絶対条件を満たすためあきらめざるをえなかった制作工程がそれなりにありましたが、今回の『イーロン・マスク』は、同じくらい厳しいスケジュールの中、校正・校閲の方々との連携も含め、やるべきことはほぼ全部きちんとこなすことができました。このあたりは、経験値が上がったおかげでしょう。

　経験値は、今回、さらに上がったわけで、「次回はもっとうまくできる。どんと来い。二度あることは三度あると言うしね」……とは、さすがに言う気になりません。無理を重ねる仕事であることはまちがいなくて、なんだかんだ、やはり、しんどいですから。いや、まあ、『スティーブ・ジョブズ』のあとも「一生に一度で十分。二度と御免だ」って思ったんだろと言われると、返す言葉がないのですが……。

あとがき

好きな言葉が三つあります。

- 為せば成る、為さねば成らぬ何事も、成らぬは人の為さぬなりけり
- 足るを知る
- 人間万事塞翁が馬

この三つが並んでいるのは支離滅裂に感じると言われることが多いので、簡単に説明しておきましょう。

人間、努力すればそれなりのことはできるようになるものです。できないことがあるのはできるようになろうとしなかったから。できないという現状が気に入らないなら、できるように努力すればいいだけのことです。

ただし人間の一生は時間が限られています。何から何までできるようになれるほどの時間はありません。だから、「足るを知る」ことも大事です。こっちができるようになったのだから、あっちができなくてもいい、いや、こっちができれば満足だからあっちはやらないって考えるわけです。そうしないと、がんばりすぎて体なり心なりをこわすのがオチでしょう。

また、「為せば成る」といっても、その道のりは長かったり紆余曲折があったり、いろいろです。瞬間瞬間に一喜一憂せず、「人間万事塞翁が馬」と長い目で自分を見ることも必要です。また、「為せば成る」といっても、必ずしも、今日より明日がいいとはかぎりません。たとえ

ば、いま私がはまっている自転車ロードレースのように加齢で衰えていくものだと、努力しても、絶対値は今日より明日が悪いかもしれません。っていうか、私くらいの年齢になれば、体力はまちがいなく落ちていく一方です。それでもなお、「為さずに迎えた明日に比べれば、為した明日はほんの少しいい」はずです。

　そんなわけで、「足るを知」って現状に満足しつつ、「人間万事塞翁が馬」とゆったり構えながら「為せば成る」と次の目標に向けて一歩ずつ歩いていく……そんな人生がおくれたら幸せかなぁと思うわけです。

　それにしても、人生とは不思議なものです。自分が会社員を辞めて独立するとは思ってもいませんでした。エンジニア以外の仕事をするとも思っていませんでした。翻訳の仕事を始めたころは、技術系の知識や経験を生かして産業翻訳をずっとしていくんだと思っていて、いまのように出版翻訳が主体になるとは思っていませんでした。出版翻訳が軌道に乗ったころ、ミリオンセラーとなるほど話題の本を担当することがあるとは思ってもいませんでした。それから10年以上も後、ふつうなら定年を迎えるような年になってから、またも、厳しいスケジュールで身を削る「世界同時発売」の本を担当することになるとは思ってもいませんでした。

　もちろん、人生、いいことばかりではありません。本書を読むと順風満帆で来たように見えるだろうなと思いますが、実際には、ストレスで神経性の急性胃腸炎を半年に3回もやらかしたことがありますし、緊急手術で一命をとりとめた腹膜炎のほか、交通事故など、一歩まちがえたら死んでいたなということも片手の指くらいはありますし、死にたいとまで追いつめられたこともあったりします。

　それでも、全体としては、たぶん、とても幸せな人生を歩んでくることができたのだろうと思います。節目節目で幸運にも恵まれましたし、ぎりぎりであっても、その幸運をつかむことにも成功しました。今回、本書を書くにあたってふり返ってみて、そのあたりを痛感しました。

　本書も、講談社で翻訳書の編集をしている青木由美子さんから、とあ

る件でご連絡をいただき、ついでに雑談をしていたら書くことになった
ものです。本書の冒頭、『スティーブ・ジョブズ』で最後の訳稿を納め
たあたりのどたばたなど、自費出版してみようかなと少し書いていたの
ですが、出版するなら『スティーブ・ジョブズ』を担当してくださった
講談社の編集さんに許可をもらう必要があるだろうし、どうしたらいい
のだろうとくすぶっていたのです。その本を講談社から出すなら、許可
は社内で取っていただけます。はい、いろいろな意味で、これまたとて
も幸運な展開でした。

　青木さんともご相談し、『スティーブ・ジョブズ』の件だけでなく、
翻訳にまつわるあれこれも書くことにしました。といっても、本書に書
いているように、翻訳というのは、それまで生きてきた人生のあらゆる
面が「訳」にたってくれます。結局、私の人生をふり返るみたいな本に
なってしまいました。偶然と幸運とほんの少しの決断とでたまたま歩ん
できた記録です。友人に言わせると、けっこうはちゃめちゃな人生らし
いので、それなりにおもしろいと読んでいただけるのではないでしょう
か。その上で、なにか、多少なりとも参考になることがあればこれに勝
る喜びはありません。

　2023年9月

八ヶ岳山麓にて
井口耕二　a.k.a. Buckeye
翻訳者（出版・実務）

『スティーブ・ジョブズ』翻訳当時の仕事部屋

著者プロフィール

井口耕二　Koji Inokuchi

1959年生まれ。11歳で始めたフィギュアスケートで全日本選手に。東京大学工学部に入学、8年間リンクで滑りつつ石油代替エネルギーの研究に打ち込む。大手石油会社の企業派遣で米国オハイオ州立大学大学院修士課程に留学。帰国後は「午前様も珍しくない猛烈サラリーマン」に。1998年、育児のために退職後、フリーランスの技術・実務翻訳者として独立し、東京と八ヶ岳の二拠点生活で育児と翻訳に奮闘。しだいに産業翻訳から出版翻訳へと仕事の主軸を移し、多くの話題作を手掛ける。翻訳フォーラム共同主宰。趣味は発明とロードレース、楽しみはコーヒーとクラフトビール。訳書に『スティーブ・ジョブズ　I・II』（講談社）、『イーロン・マスク　上・下』（文藝春秋）、『スティーブ・ジョブズ 驚異のプレゼン』『スティーブ・ジョブズ 驚異のイノベーション』『リーン・スタートアップ』（以上、日経BP）、『リーダーを目指す人の心得』（飛鳥新社）、『PIXAR〈ピクサー〉世界一のアニメーション企業の今まで語られなかったお金の話』（文響社）など多数。著書に『実務翻訳を仕事にする』（宝島社新書）、共著に『翻訳のレッスン』（講談社）がある。

「スティーブ・ジョブズ」翻訳者の仕事部屋
フリーランスが訳し、働き、食うための実務的アイデア

2024年6月5日　第1刷発行

著者‥‥‥‥‥‥‥‥‥井口耕二

装丁‥‥‥‥‥‥‥‥重原隆
本文レイアウト・図版‥‥‥‥‥‥‥‥山中 央

©Koji Inokuchi 2024, Printed in Japan

発行者‥‥‥‥‥‥‥‥森田浩章　　　KODANSHA
発行所‥‥‥‥‥‥‥株式会社講談社
　　　　　　東京都文京区音羽2丁目12-21　郵便番号112-8001
　　　　　　電話 編集 03-5395-3522
　　　　　　　　　販売 03-5395-4415
　　　　　　　　　業務 03-5395-3615
印刷所‥‥‥‥‥‥‥株式会社新藤慶昌堂
製本所‥‥‥‥‥‥‥株式会社国宝社

ISBN978-4-06-535726-2

スティーブ・ジョブズ I・II

Steve Jobs

The Exclusive Biography

ウォルター・アイザックソン

井口耕二＝訳

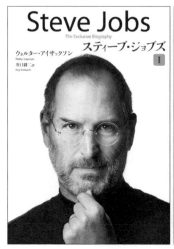
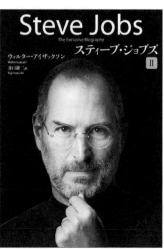

未来を創った、今世紀を代表する
経営者スティーブ・ジョブズの
すべてを描き切った最初で最後の伝記。

本書を読まずして、アップルもITも経営も、未来も語ることはできない。
今なお輝き続ける、その軌跡をたどる必読書。

イノベーターズⅠ・Ⅱ
天才、ハッカー、ギークが織りなすデジタル革命史

the INNOVATORS

HOW A GROUP OF HACKERS, GENIUSES, AND GEEKS
CREATED THE DIGITAL REVOLUTION

ウォルター・アイザックソン

井口耕二＝訳

数学と詩のはざまで
コンピュータ概念を夢見た
伯爵夫人エイダ・ラブレス
すべてはここから始まった！

コンピュータ概念をつくった孤独な数学者、産官学で生まれたインターネット、"ゼロックスというお金持ち"を狙うゲイツとジョブズ。Googleの誕生まで、綿密な取材をもとに綴った創造とビジネスの歴史。